westermann

Hans Jecht

Prüfungstraining KOMPAKT

Kaufmann/Kauffrau für Groß- und Außenhandelsmanagement

1. Auflage

Bestellnummer 43623

Zusatzmaterialien zu „Prüfungstraining KOMPAKT Kaufmann/Kauffrau für Groß- und Außenhandelsmanagement"

Für Lehrerinnen und Lehrer

inkl. E-Book

BiBox Einzellizenz für Lehrer/-innen (Dauerlizenz):
978-3-427-28118-4
BiBox Kollegiumslizenz für Lehrer/-innen (Dauerlizenz):
978-3-427-28126-9
BiBox Kollegiumslizenz für Lehrer/-innen (1 Schuljahr):
978-3-427-83559-2

Für Schülerinnen und Schüler

inkl. E-Book

BiBox Einzellizenz für Schüler/-innen (1 Schuljahr):
978-3-427-28134-4
BiBox Klassensatz PrintPlus (1 Schuljahr): 978-3-427-82850-1

Bildquellenverzeichnis: stock.adobe.com, Dublin: SolisImages (Titel)

westermann GRUPPE

© 2022 Bildungsverlag EINS GmbH, Ettore-Bugatti-Straße 6-14, 51149 Köln
www.westermann.de

Das Werk und seine Teile sind urheberrechtlich geschützt. Jede Nutzung in anderen als den gesetzlich zugelassenen bzw. vertraglich zugestandenen Fällen bedarf der vorherigen schriftlichen Einwilligung des Verlages. Nähere Informationen zur vertraglich gestatteten Anzahl von Kopien finden Sie auf www.schulbuchkopie.de.

Für Verweise (Links) auf Internet-Adressen gilt folgender Haftungshinweis: Trotz sorgfältiger inhaltlicher Kontrolle wird die Haftung für die Inhalte der externen Seiten ausgeschlossen. Für den Inhalt dieser externen Seiten sind ausschließlich deren Betreiber verantwortlich. Sollten Sie daher auf kostenpflichtige, illegale oder anstößige Inhalte treffen, so bedauern wir dies ausdrücklich und bitten Sie, uns umgehend per E-Mail davon in Kenntnis zu setzen, damit beim Nachdruck der Verweis gelöscht wird.

Druck und Bindung: Westermann Druck GmbH,
Georg-Westermann-Allee 66, 38104 Braunschweig

ISBN 978-3-427-**43623**-2

Vorwort

Die heiße Phase beginnt:

Der erste Teil oder sogar schon der zweite Teil der Abschlussprüfung steht bevor. Auf diese Prüfung sollten Sie sich gut vorbereiten.

Während Sie mit dem Buch „Prüfungswissen KOMPAKT Groß- und Außenhandelsmanagement" das im Berufsschulunterricht und während der betrieblichen Ausbildung Gelernte sehr schnell wieder ins Gedächtnis zurückholen, können Sie mit diesem „Prüfungstraining KOMPAKT Groß- und Außenhandelsmanagement" schnell überprüfen, in welchen Bereichen Ihrer Ausbildung Sie eventuell noch Lücken haben. Diese können Sie dann mithilfe Ihrer Schulbücher schnell schließen.

Beachten müssen Sie, dass einige der in den Kapiteln für einen Prüfungsbereich dargestellten Lerninhalte auch für andere Prüfungsfächer der Prüfung bedeutsam sein können.

Sowohl der Verlag als auch der Autor wünschen Ihnen viel Erfolg bei der Prüfungsvorbereitung und besonders bei der Prüfung.

Hildesheim Juni 2022

Hans Jecht

Inhaltsverzeichnis

Vorwort **3**

A Organisieren des Warensortiments und von Dienstleistungen **9**
1 Zusammenstellung des Warensortiments 9
2 Der Einkauf von Waren 9
3 ERP- und Warenwirtschaftssysteme 13
4 Stammdatenmanagement 14
5 Beratungs- und Verkaufsgespräche mit Kunden 14
6 Arbeitsorganisation 15

B Kaufmännische Steuerung von Geschäftsprozessen **16**
1 Inventur und Inventar 16
2 Bilanz 17
2.2 Aktivseite und Passivseite der Bilanz 17
2.3 Geschäftsfälle und Veränderungen der Bilanz 19
3 Die Bestandskonten 20
4 Ablauf der Buchführung 21
5 Erfolgskonten 23
6 Warenbuchungen 24
7 Grundsätze ordnungsgemäßer Buchführung 24
8 Eröffnungsbilanzkonto und Schlussbilanzkonto 26
9 Die Umsatzsteuer 26
10 Die Abschreibung 28
11 Die zeitliche Abgrenzung 30
12 Die Bewertung von Bilanzpositionen 31
13 Zahlungsformen 32
14 Berechnung von Zinsen 33
15 Der Zahlungsverzug 33
16 Mahnverfahren und Verjährung 34
17 Kreditarten 35
17.1 Kredite 35
17.2 Vermeidung von Kreditkosten durch Leasing und Factoring 37
18 Kostenrechnung 38

18.1	Die Kostenartenrechnung	38
18.2	Die Kostenstellenrechnung	40
18.3	Die Kostenträgerrechnung	41
19	Das Controlling	44
20	Buchhalterische Besonderheiten	46
20.1	Buchhalterische Besonderheiten beim Einkauf	46
20.2	Buchhalterische Besonderheiten beim Verkauf von Waren	46
21	Projektorientierte Arbeitsorganisation	46

C Prozessorientierte Organisation von Grosshandelsgeschäften ... 50

1	Handelsspezifische Beschaffungslogistik	50
1.1	Die Auswahl von Transportmitteln	50
1.2	Der Werkverkehr	51
2	Firmenfremde Zustellung mit Frachtführern	51
2.1	Verkehrsmittelarten	51
2.4	Spediteure	54
3	Logistikkonzepte	55
4	Transportversicherungen	55
5	Kontrollen im Wareneingang	56
6	Lagerlogistik	57
6.1	Lageraufgaben und -arten	57
6.2	Anforderungen an die Lagerhaltung	59
6.3	Der optimale Lagerbestand	60
6.4	Die Kontrolle des Lagerbestands	61
6.5	Lagerkennziffern	63
6.6	Die Kommissionierung	66
6.7	Einlagerung bei Lagerhaltern	66
6.8	Lagerverwaltung	67
7	Marketing	67
7.2	Marktforschung	68
7.3	Produktpolitik	69
7.4	Sortimentspolitik	70
7.5	Preispolitik	71
7.6	Distributionspolitik	72
7.7	Kommunikationspolitik	74
7.8	Werbung	75

	7.9	Das Marketingkonzept	76
	7.10	Gesetz gegen den unlauteren Wettbewerb	77
	8	Kundenkommunikation	77
	8.1	Das Kundenbeziehungsmanagement	77
	8.2	Einbeziehung der Kundenstruktur ins Marketing	78
	8.3	Der Onlineauftritt eines Großhandelsunternehmens	79
	8.4	Onlinemarketing	80
	9	Verkaufsplanung	81
	9.1	Die Preisgestaltung	81
	9.2	Die Kalkulation von Verkaufspreisen	81
	10	Kaufvertragsrecht	82
	10.1	Der Abschluss von Verträgen	82
	10.2	Anfechtung und Nichtigkeit von Verträgen	82
	10.3	Rechtsfähigkeit und Geschäftsfähigkeit	83
	10.4	Erfüllungsort und Gerichtsstand	84
	10.5	Der Lieferungsverzug	85
	10.6	Die Schlechtleistung	85
	10.7	Die Bearbeitung von Reklamationen und Retouren	88
	10.8	Der Annahmeverzug	88
	10.9	Die Allgemeinen Geschäftsbedingungen	89
	10.10	Kaufvertragsarten	89
	11	Außenhandel	90
D		**Wirtschafts- und Sozialkunde**	**95**
	1	Bedürfnisse	95
	2	Güter	96
	3	Ökonomisches Prinzip	96
	4	Märkte	97
	5	Konjunktur und Wirtschaftswachstum	97
	6	Aufgaben und Arten des Großhandels	97
	7	Rechtsformen	100
	8	Die Aufbauorganisation eines Großhandelsbetriebs	101
	9	Zusammenarbeit des Großhandelsunternehmens mit anderen Institutionen	103
	10	Betriebliche Organisation	103

10.1	Die Berufsausbildung	103
10.2	Der Arbeitsvertrag	104
10.3	Rechtliche Regelungen mit Auswirkungen auf den Arbeitsvertrag	105
10.4	Das Personalwesen	105
10.5	Sicherheit im Betrieb	107
11	Umweltschutz	110

E LÖSUNGEN 111

A.	Organisieren des Warensortiments und von Dienstleistungen – LÖSUNGEN	111
B	Kaufmännische Steuerung von Geschäftsprozessen – LÖSUNGEN	118
C.	Prozessorientierte Organisation von Großhandelsgeschäften – LÖSUNGEN	128
D.	Wirtschafts- und Sozialkunde – LÖSUNGEN	153

Sachwortverzeichnis 165

A

ORGANISIEREN DES WARENSORTIMENTS UND VON DIENSTLEISTUNGEN

1 Zusammenstellung des Warensortiments

Aufgabe 1
Was versteht man unter einem Sortiment?

Aufgabe 2
Unterscheiden Sie Sortimentsbreite und Sortimentstiefe.

Aufgabe 3
Was versteht man unter
a) einem Kernsortiment und
b) einem Randsortiment
c) Produktelimination
d) Diversifikation?

2 Der Einkauf von Waren

Aufgabe 4
Welcher Teil der Beschaffungsplanung sagt etwas darüber aus, wo eingekauft werden soll?
(1) Zeitplanung
(2) Sortimentsplanung
(3) Mengenplanung
(4) Bezugsquellenermittlung
(5) Finanzplanung

Aufgabe 5
Worüber gibt die Mengenplanung Auskunft?
Sie gibt Auskunft darüber, ...
(1) was eingekauft werden soll.

A Organisieren des Warensortiments und von Dienstleistungen

(2) wie viel eingekauft werden soll.
(3) wann eingekauft werden soll.
(4) wo eingekauft werden soll.
(5) warum eingekauft werden soll.

Aufgabe 6

Was ist der Meldebestand (Bestellpunktverfahren)?

(1) Sicherheitsvorrat, der dauernd vorhanden sein muss, um unvorhersehbaren Störungen vorzubeugen.
(2) der aktuelle Warenvorrat
(3) Bestand, der die Zeitspanne zwischen Bestellung bis zur Lieferung der Ware überbrückt.
(4) Bestand, der maximal eingekauft/gelagert werden kann.
(5) Bestandsmenge, bis zu der verkauft werden kann.

Aufgabe 7

Was trifft auf die optimale Bestellmenge zu?

(1) Die Gesamtkosten der Bestellung sind am geringsten.
(2) Die größtmögliche Bestellmenge wird bestellt.
(3) Es braucht nur einmal im Jahr bestellt zu werden.
(4) Die Gesamtkosten der Bestellung sind am höchsten.
(5) Die niedrigste Bestellmenge wird bestellt.

Aufgabe 8

Nennen Sie die optimale Anzahl an Bestellungen, wenn eine Großhandlung einen Jahresbedarf von 2 000 Laserdruckernhat. Die Lagerkosten liegen pro Stück bei 0,50 € und die Bestellkosten betragen pro Bestellung 40,00 €.

(1) 2
(2) 3
(3) 4
(4) 5
(5) 6

Aufgabe 9

Wofür verwendet man die Limitrechnung in einem Unternehmen?

Man verwendet in einem Unternehmen dieLimitrechnung, ...

(1) um den maximalen Einkaufspreis für eine Ware zu berechnen.

(2) um eine Grenze zu setzen, die angibt, für welchen Betrag in einem bestimmten Zeitraum eingekauft werden darf.

(3) um den maximalen Verkaufspreis für eine Ware zu berechnen, für den der Artikel verkauft werden kann.

(4) um eine Grenze zu setzen, die angibt, wie viel Ware höchstens in einem bestimmten Zeitraum eingekauft werden darf.

(5) um die Kostenfaktoren des nächsten Jahres im Voraus zu berechnen

Aufgabe 10

Was trifft auf Primärquellen zu?

(1) Es sind zufällige Anfragen extern vorhandener Beschaffungsmarktdaten.

(2) Es handelt sich um die eigene direkte und gezielte Erhebung von Beschaffungsmarktdaten.

(3) Es sind Informationsquellen, die man auf Messen auswerten kann.

(4) Es sind Informationsquellen über die primär zu beliefernden Kunden.

(5) Es sind Quellen, mit denen man die Beschaffungsmarktdaten auswerten kann.

Aufgabe 11

Erläutern Sie die folgenden im Zusammenhang mit der Bezugsquellenermittlung stehenden Begriffe:

a) Warenkartei
b) Liefererkartei
c) Datenbankrecherchen
d) Primärquelle
e) Sekundärquelle
f) Bezugsquellenkartei
g) Elektronische Adressverzeichnisse
h) Ausschreibung

A Organisieren des Warensortiments und von Dienstleistungen

Aufgabe 12

Erläutern Sie kurz die folgenden Begriffe:

a) Listeneinkaufspreis
b) Rabatt
c) Zieleinkaufspreis
d) Skonto
e) Bareinkaufspreis
f) Bezugspreis
g) Einstandspreis
h) Bonus

Aufgabe 13

Welche der folgenden Aussagen sind richtig und welche falsch?

a) Ein anderes Wort für Bestellung ist Auftragserteilung.
b) Bestellungen sind an Formvorschriften gebunden.
c) Bestellungen sind grundsätzlich verbindlich.
d) Bestellungen können nicht widerrufen werden.
e) Verträge im Fernabsatzrecht können innerhalb von 14 Tagen nach Erhalt der Ware widerrufen werden.
f) Bestellt ein Einkäufer, ohne dass ihm ein verbindliches Angebot vorliegt, so gilt diese Bestellung als Antrag auf Abschluss eines Kaufvertrages.
g) Für das Zustandekommen des Kaufvertrages ist eine Bestellungsannahme notwendig, wenn der Bestellung kein Angebot vorausging.
h) Heute können Bestellungen nur noch online mit EDI abgegeben werden.

Aufgabe 14

Was ist eine Anfrage?

Aufgabe 15

Die Bulut KG hat zwei Angebote vorliegen:

Angebot 1: Angebotspreis 15,00 €, 15 % Rabatt, 2 % Skonto, 5,00 € Bezugskosten

Angebot 2: Angebotspreis 18,00 €, 20 % Rabatt, 2 % Skonto, 2,50 € Bezugskosten

Berechnen Sie für beide Angebote den Bezugspreis.

Aufgabe 16

Die Bulut KG hat eine Lieferung Tomaten (100 kg) für die Kantine bekommen. Berechnet werden müssen die in Rechnung gestellten Verpackungskosten. Der Preis der Tomaten liegt bei 0,90 € je Kilogramm. Die Tara beträgt 10 kg. Berechnen Sie die Kosten bei b/n (brutto für netto).

Aufgabe 17

Für den Transport eines Artikels von Hamburg nach Hannover entstehen folgende Kosten:

Rollgeld 1 (Hamburg – Bahnhof Hamburg)	14,00 €
Fracht Hamburg – Hannover	36,00 €
Rollgeld 2 (Bahnhof Hannover – Lager Hoffmann KG)	18,00 €

Bestimmen Sie die Transportkosten für den Käufer (die Bulut KG in Hannover) in folgenden Situationen:

a) unfrei
b) Es liegt keine vertragliche Regelung vor.
c) frei Haus
d) ab Werk
e) frachtfrei
f) ab Bahnhof hier

3 ERP- und Warenwirtschaftssysteme

Aufgabe 18
Was versteht man unter der Warenwirtschaft?

Aufgabe 19
Was ist ein Warenwirtschaftssystem?

Aufgabe 20
Erläutern Sie kurz den Begriff ERP-Systeme

4 Stammdatenmanagement

Aufgabe 21
Wodurch unterscheiden sich Stamm- und Bewegungsdaten?

Aufgabe 22
Welche der folgenden Aussagen sind richtig und welche falsch?

a) Unter Stammdatenmanagement versteht man die Verwaltung von Stammdaten unter besonderer Berücksichtigung der Optimierung der Datenqualität.
b) Unter einer Dublette wird die Datenkonsistenz verstanden.
c) Artikelzugänge sind Stammdaten.
d) Artikelnummern sind Stammdaten.
e) Zahlungseingänge auf Konten sind Bewegungsdaten.
f) Datenkonsistenz ist die Korrektheit von Daten innerhalb eines Datenbanksystems.
g) Die voranschreitende Digitalisierung zwingt Unternehmen dazu Bestände an Stammdaten möglichst effizient zu nutzen.
h) Die eindeutige Benennung von Namen und Merkmalen von Daten ist wichtiger Bestandteil des Stammdatenmanagements
i) Ziel der Datensicherung ist der Schutz der Daten vor Missbrauch, Zerstörung oder Verlust.
j) Der Schutz der personenbezogenen Daten natürlicher und juristischer Personen ist in der Datenschutzgrundverordnung verankert.
k) Ziel des Datenschutzes ist der Schutz der Privatsphäre.

5 Beratungs- und Verkaufsgespräche mit Kunden

Aufgabe 23
Erläutern Sie die Phasen eines Verkaufsgesprächs/Beratungsgesprächs.

Aufgabe 24
Führen Sie für jede Phase ein Kriterium für eine erfolgreiche Durchführung auf.

Aufgabe 25
Unterscheiden Sie die Arten telefonisch durchgeführter Verkaufsgespräche.

6 Arbeitsorganisation

Aufgabe 26
Führen Sie Regeln für eine erfolgreiche Gruppenarbeit auf.

Aufgabe 27
Erläutern Sie, wie es zu einer effizienten Teamarbeit kommen kann.

Aufgabe 28
Stellen Sie positive Auswirkungen von Konflikten negativen Folgen gegenüber.

Aufgabe 29
Erläutern Sie das Vorgehen in einem Konfliktfall.

B

KAUFMÄNNISCHE STEUERUNG VON GESCHÄFTSPROZESSEN

1 Inventur und Inventar

Aufgabe 30

Ordnen Sie den Begriffen die richtige Erläuterung zu.

a) Inventar
b) Anlagevermögen
c) Umlaufvermögen
d) Langfristige Schulden
e) Kurzfristige Schulden
f) Eigenkapital
g) Bilanz
h) Inventur
i) Inventurdifferenzen
j) Permanente Inventur
k) Liquidität

(1) Die Positionendes Vermögens sind nach diesen Gliederungsprinzip geordnet.
(2) Die Inventur erfolgt ganzjährig, meist durch Fortschreibung mithilfe der EDV.
(3) Unterschiede zwischen Soll- und Ist-Werten
(4) Bestandsaufnahme aller Vermögensteile und Schulden im Unternehmen
(5) Zu diesen Schulden gehören die Verbindlichkeiten aus Lieferungen und Leistungen.
(6) Stellt die Aktiva und Passiva in Kontenform gegenüber.
(7) Berechnet sich als Unterschied aus Vermögen und Schulden.
(8) Zu diesen Schulden gehören zum Beispiel Hypotheken und Darlehen.

(9) Vermögen, das nur kurzfristig im Unternehmen ist und häufig seinen Bestand ändert

(10) Das langfristig im Unternehmen eingesetzte Vermögen, das notwendig für den gesamten Geschäftsbetrieb ist.

(11) Ausführliche Aufstellung des Vermögens, der Schulden sowie des Eigenkapitals in Tabellenform.

Aufgabe 31

Was ist ein Inventar?

(1) die körperliche und buchmäßige Bestandsaufnahme aller Vermögensteile und Schulden nach Art, Menge und Wert

(2) die Gesamtheit der Büroausstattung

(3) das Umlaufvermögen

(4) ein Buchungssatz, der mehr als fünf Konten berührt

(5) das Bestandsverzeichnis aller Vermögensteile und Schulden nach Art, Menge und Wert

Aufgabe 32

Was versteht man unter einer Inventur?

(1) das Bestandsverzeichnis aller Vermögensteile und Schulden nach Art, Menge und Wert

(2) die buchmäßige Bestandsaufnahme aller Vermögensteile

(3) ein anderes Wort für das Umlaufvermögen

(4) die körperliche und buchmäßige Bestandsaufnahme aller Vermögensteile und Schulden nach Art, Menge und Wert

(5) ein Vorgang, der nach jeder erfolgten Warenbuchung durchzuführen ist, damit die Bestände immer stimmen

2 Bilanz

2.2 Aktivseite und Passivseite der Bilanz

Aufgabe 33

Welche der folgenden Aussagen sind richtig?

a) Waren steht als Bilanzposition auf der Aktivseite.

b) Die Position Hypotheken steht auf der Passivseite.
c) Forderungen stellen eine Position auf der linken Seite der Bilanz, der Aktivseite, dar.
d) Die Bilanz ist die Gegenüberstellung von Vermögen und Kapital eines Unternehmens zu einem bestimmten Zeitpunkt.
e) Das Eigenkapital berechnet sich als Differenz zwischen dem vorhandenen Vermögen und dem Fremdkapital.
f) Die Bilanz wird in Staffelform dargestellt.
g) Die Aktivseite gibt Auskunft über die Mittelherkunft.
h) Die Bilanzsumme auf der Passivseite ist genauso groß wie die auf der Aktivseite.
i) Die Aktivseite wird nach der zunehmenden Flüssigkeit der Vermögensgegenstände gegliedert.

Aufgabe 34

Bringen Sie die Aktivseite der Bilanz in die richtige Reihenfolge.

(1) Fuhrpark

(2) Bank

(3) Waren

(4) Forderung

(5) BGA

(6) Gebäude

(7) Kasse

Aufgabe 35

Bringen Sie die Passivseite der Bilanz in die richtige Reihenfolge.

(1) Verbindlichkeiten aus Lieferungen und Leistungen

(2) Hypothekenschulden

(3) Eigenkapital

(4) Darlehensschulden

2.3 Geschäftsfälle und Veränderungen der Bilanz

Aufgabe 36

Vervollständigen Sie die folgenden Sätze um die fehlenden Begriffe.

Aktivkonto – Aktiv-Passiv-Mehrung – Aktiv-Passiv-Minderung – Bilanzsumme – Bilanzverkürzung – Bilanzverlängerung – Eigenkapitals – Passivpositionen – Passivtausch – vermindert – verringert – vier – Aktivtausch – Bilanz – Bilanzveränderungen – erhöht

Jeder Geschäftsfall wirkt sich auf die _____ aus. Dies nennt man _____. Davon gibt es _____ Arten.

Bei einer _____ nehmen Aktivpositionen und _____ in gleicher Höhe zu. Die Bilanzsumme _____ sich. Man nennt dies eine _____.

Bei einer _____ nehmen durch ein Geschäftsfall eine Aktivposition und eine Passivposition in gleicher Höhe ab. Die Bilanzsumme _____ sich. Man nennt dies eine _____.

Bei einem _____ bleibt _____ gleich: Durch einen Geschäftsfall erhöht sich ein _____, während sich ein anderes Aktivkonto vermindert.

Bei einem _____ erhöht sich durch einenGeschäftsfall ein Passivkonto, während sich ein anderes Passivkonto _____. Die Bilanzsumme bleibt gleich.

Bei den vier Bilanzveränderungen ergeben sich keine Änderungen des _____ des Unternehmens.

Aufgabe 37

Welcher der folgenden Geschäftsfälle stellt eine Aktiv-Passiv-Minderung dar?

(1) Kauf eines PC gegen bar

(2) Begleichung von Lieferverbindlichkeiten durch Banküberweisung

(3) Umwandlung von kurzfristigen Schulden in langfristige Schulden
(4) Kaufen von Waren auf Ziel
(5) Ausgleich einer Limitüberschreitung auf einem Bankkonto durch Einzahlung des entsprechenden Betrages aus der Kasse

3 Die Bestandskonten

Aufgabe 38

Welche der folgenden Aussagen zu den Bestandskonten sind richtig und welche falsch?

a) Die Gewinn- und Verlustrechnung am Schluss eines Wirtschaftsjahres bildet die Grundlage für die Buchführung des neuen Jahres.
b) Die Buchführung besteht aus einem Buch.
c) Das Grundbuch ordnet die Werteströme in zeitlicher Reihenfolge in Form von Buchungssätzen.
d) Das Hauptbuch ist die sachliche Organisation aller Bestands- und Erfolgskonten der Geschäftsbuchführung.
e) Ein Bestandskonto ist ein aus einer Einzelposition der Bilanz hergeleitetes Konto.
f) Ein Bestandskonto wird in Staffelform geführt.
g) Anfangsbestände auf aktiven Bestandskonten werden auf der Sollseite gebucht.
h) Abgänge auf passiven Bestandskonten werden auf der Sollseite gebucht.
i) Zugänge auf aktiven Bestandskonten werden im Haben gebucht.
j) Zugänge auf passiven Bestandskonten werden im Haben gebucht.
k) Die Sollseite auf einem Konto ist die rechte Seite.

Aufgabe 39

Wie lauten die Buchungssätze?

a) Auf dem Bankkonto geht für ein auf Rechnung verkauftes Produkt eine Zahlung ein.
b) Ein Darlehen wird durch Banküberweisung getilgt.

c) Für die Kasse wird ein Geldbetrag vom Bankkonto abgehoben.
d) Für den Verkauf eines Pkws gehen 1.000,00 € auf dem Bankkonto ein.
e) Ein Unternehmen nimmt ein Darlehen auf. Der Betrag wird auf das Bankkonto überwiesen.
f) Ein Unternehmen zahlt Bareinnahmen bei seiner Bank ein.
g) Ein Unternehmen bezahlt eine Lieferrechnung.
h) Ein Unternehmen kauft einen neuen Firmen-Pkw.

Aufgabe 40

Welches der folgenden Konten ist ein aktives Bestandskonto?

(1) Büro- und Geschäftsausstattung
(2) Löhne und Gehälter
(3) Verbindlichkeiten aus Lieferungen und Leistungen
(4) Wareneingang (Aufwendungen für Ware)
(5) Eigenkapital

Aufgabe 41

Welches der unten aufgeführten Konten ist ein passives Bestandskonto?

(1) Forderungen aus Lieferungen und Leistungen
(2) Gewerbesteuer
(3) Zinsaufwendung
(4) Grundstücke und Gebäude
(5) Verbindlichkeiten

4 Ablauf der Buchführung

Aufgabe 42

Vervollständigen Sie den folgenden Text um die Begriffe.

> Aktiva – Belegnummer – Buchungsnummer – Gewinn – Grundbuch – Journal – Kontenklasse – Kontenplan – Kontenrahmen – Kontierung – ordnungsgemäßer – organisiert – sachlichen – vierstellige – zeitlicher

B Kaufmännische Steuerung von Geschäftsprozessen

Selbst bei Kleinunternehmen fallen pro Kalenderjahr viele Tausende Buchungen an. Um bei diesen umfangreichen Informationen und Daten ein Überblick zu behalten, ist es wichtig, dass die Buchführung gut _____ ist.

Gemäß den Grundsätzen _____ Buchführung erfolgt die Organisation der Buchführung auf zwei Arten:

Zunächst einmal werden die Buchungen in _____ (chronologischer) Reihenfolge geordnet. Dies erfolgt, indem alle Belege nach dem Datum sortiert und fortlaufend nummeriert im sogenannten _____ festgehalten werden. Dieses wird auch als _____ bezeichnet. Hier findet man folgende Information:

→ fortlaufende _____
→ Verweis zu dem Beleg: _____
→ Buchungstext (kurze Beschreibung des Geschäftsfall)
→ _____ mit entsprechenden Beträgen (Angabe der Konten mit den dazugehörigen Beträgen)

Die Buchführung unterliegt zudem einer _____ Organisation. Diese erfolgt auf Konten im Hauptbuch. Durch Abschluss der einzelnen Konten lassen sich der_____ oder Verlust sowie die Bilanz ermitteln.

Grundlage des Hauptbuchs ist der _____. Dies ist ein Verzeichnis aller Konten, die in einem Unternehmen benötigt werden können. Die Krankenkassen sind sachlich sortiert. Die Sortierung erfolgt in_____, Passiva, Erträge und Aufwendungen, Ergebnisrechnung sowie Kosten- und Leistungsrechnung. Der Kontenrahmen weist jedem Konto eine _____ eindeutige Nummer zu. Die Nummerierung der Konten erfolgt nach Zugehörigkeit zu einer _____. Aus dem Kontenrahmen erstellt dann jedes Unternehmen seinen speziellen auf das Unternehmen abgestimmten _____. Dieser ist das Verzeichnis der in der Buchführung eines Unternehmens tatsächlich verwendeten Konten. Er enthält in der Regel weniger Konten als der Kontenrahmen, da nicht in jedem Unternehmen sämtliche Konten des Kontenrahmens benötigt werden.

Aufgabe 43

Was bezeichnet der Begriff „Kontenrahmen"?

(1) Es ist der Organisations- und Gliederungsplan der Buchführungskonten. In ihm werden die Konten grundlegend systematisch geordnet.

(2) Er stellt die tatsächliche, konkrete, betriebsspezifische Kontenorganisation dar.

(3) Der Begriff bezeichnet das Fenster in der Buchhaltungsabteilung.

(4) Der Kontenrahmen bezeichnet das höchste Limit eines Bankkontos.

(5) Im Kontenrahmen werden nur die Buchungen erfasst, die die Bezugskonten betreffen.

5 Erfolgskonten

Aufgabe 44

Welche der folgenden Aussagen sind richtig und welche falsch?

a) Es gibt drei Arten von Erfolgskonten.
b) Erträge wirken sich positiv auf das Eigenkapital aus.
c) Aufwendungen verringern den Gewinn.
d) Erfolgskonten sind Unterkonten des Eröffnung Kapitalkontos.
e) Erträge werden im Soll gebucht.
f) Aufwendungen werden im Soll gebucht.
g) Mehrungen im Eigenkapital stehen im Soll.
h) Ein Verlust steht im Gewinn- und Verlustkonto im Haben.
i) Der Saldo in einem Aufwandskonto steht im Haben.
j) Gewinne oder Verluste im Gewinn- und Verlustkonto werden auf das Konto Eigenkapital übertragen.

Aufgabe 45

Welche der folgenden Konten gehören zur Gruppe der Erfolgskonten?

(1) Bank
(2) Warenverkauf (Umsatzerlöse)

(3) Darlehen
(4) Hilfsstoffe
(5) Gehälter

6 Warenbuchungen

Aufgabe 46
Über welches Konto wird immer die Bestandsveränderung abgeschlossen?
(1) Umsatzsteuer
(2) Vorsteuer
(3) Umsatzerlöse
(4) Aufwendungen für Waren
(5) Betriebs- und Geschäftsausstattung

Aufgabe 47
Welche Aussagen sind richtig?
(1) Das Konto Umsatzerlöse ist ein Bestandskonto.
(2) Das Konto Warenbestand nimmt den Anfangs- und Endbestand von Waren auf.
(3) Aufwendungen für Ware und Umsatzerlöse werden über das Gewinn- und Verlustkonto abgeschlossen.
(4) Eine Bestandsmehrung liegt vor, wenn der Anfangsbestand an Waren größer ist als der Endbestand.

7 Grundsätze ordnungsgemäßer Buchführung

Aufgabe 48
Ordnen Sie den wichtigen Begriffen bzw. Aussagen des Rechnungswesens die entsprechenden Erklärungen zu.
a) Keine Buchung ohne Beleg
b) Dokumentationsfunktion

c) Ordnungsfunktion
d) Beweisfunktion
e) Eigenbelege
f) Fremdbelege
g) Ersatzbelege
h) Güterstrom
i) Geldstrom
j) Geschäftsfall

(1) Belege, die vom eigenen Unternehmen erstellt werden
(2) Vorgang, bei dem in irgendeiner Weise die Werte oder das Vermögen eines Unternehmens verändert werden
(3) Wertestrom, bei dem Gelder fließen
(4) Diese Belege werden ausgestellt, wenn ein Fremdbeleg nicht zu erhalten ist
(5) Wichtiger Grundsatz ordnungsgemäßer Buchführung
(6) Wertestrom, bei dem Produkte und Dienstleistungen ausgetauscht werden
(7) Durch Belege werden alle vermögenswirksamen Geschäftsfälle schriftlich festgehalten
(8) Mithilfe von Belegen werden Unternehmen gut organisiert und gegliedert
(9) Belege dienen häufig als Beweise bei strittigen Geschäftsfeldern zwischen verschiedenen Geschäftsverteilung
(10) Belege, die von betriebsfremden Personen bzw. fremden Unternehmen erstellt werden

Aufgabe 49

Welche Aussagen sind richtig und welche falsch?

a) Geschäftsprozesse verursachen keine Kosten.
b) Geschäftsprozesse leisten keinen Beitrag zur Wertschöpfung des Unternehmens.
c) Geschäftsprozesse leiten sich aus den Unternehmenszielen ab.
d) Geschäftsprozesse sind konsequent an Kunden ausgerichtet.
e) Ziel von Geschäftsprozessen ist es, den größtmöglichen Nutzen für Lieferanten zu erreichen.

f) Prozessorientierung bedeutet, dass man Intransparenz von Geschäftsvorgängen anstrebt.
g) Die bisherige funktionsorientierte Arbeitsteilung wird im Rahmen der Geschäftsprozessorientierung aufgehoben.
h) Kernprozesse erbringen die Hauptleistung eines Unternehmens.
i) Bei Unterstützungsprozessen liegt eine direkte Schnittstelle zum Kunden vor.

8 Eröffnungsbilanzkonto und Schlussbilanzkonto

Aufgabe 50
Wodurch unterscheiden sich Eröffnungsbilanzkonto (EBK) und Eröffnungsbilanz?

Aufgabe 51
Unterscheiden Sie Schlussbilanz und Schlussbilanzkonto (SBK).

9 Die Umsatzsteuer

Aufgabe 52
Was bezeichnet der Begriff „Brutto-Rechnungsbetrag"?
(1) Der Brutto-Rechnungsbetrag bezeichnet den vollständigen Rechnungsbetrag inklusive Umsatzsteuer.
(2) Der Brutto-Rechnungsbetrag bezeichnet den vollständigen Rechnungsbetrag vor Addition der Umsatzsteuer.
(3) Der Brutto-Rechnungsbetrag ist ein anderer Begriff für Ist-Bestände.
(4) Der Brutto-Rechnungsbetrag ist ein anderer Begriff für Soll-Bestände.
(5) Mit dem Brutto-Rechnungsbetrag wird die Kostenstruktur eines Unternehmens optimiert.

Aufgabe 53
Wie wird die Umsatzsteuerzahllast ermittelt?

Die Umsatzsteuer

(1) Die Umsatzsteuerforderungen aus den Eingangsrechnungen und die Vorsteuerverbindlichkeiten aus den Ausgangsrechnungen werden gegeneinander aufgerechnet.

(2) Die Vorsteuerforderungen aus den Eingangsrechnungen und die Umsatzsteuerverbindlichkeiten aus den Ausgangsrechnungen werden gegeneinander aufgerechnet.

(3) Sie stellt die Forderungen und kurzfristigen Verbindlichkeiten gegenüber. Der für das eigene Unternehmen negative Saldo bezeichnet den an die Lieferanten zu zahlenden Betrag.

(4) Die Umsatzsteuerzahllast wird in den Allgemeinen Geschäftsbedingungen aufgeführt und dort abgelesen.

(5) Es wird die Gesamtheit der in einem Großhandelsunternehmen regelmäßig zum Verkauf angebotenen Artikel ermittelt.

Aufgabe 54

Am Ende des Jahres muss bei der Spindler KG eine Passivierung der Zahllast erfolgen. Wie lautet der Buchungssatz?

(1) GuV

(2) Wareneingang

(3) Umsatzsteuer

(4) SBK

(5) Vorsteuer

Aufgabe 55

Wie hoch ist der ermäßigte Umsatzsteuersatz?

(1) 6 %

(2) 7 %

(3) 19 %

(4) 16 %

(5) 5 %

Aufgabe 56

Für welches der folgenden Produkte gilt der ermäßigte Umsatzsteuersatz?

(1) Möbel

(2) Tabakwaren

(3) Elektronikartikel
(4) Spielzeug
(5) Lebensmittel

10 Die Abschreibung

Aufgabe 57
Erläutern Sie die folgenden Begriffe:
a) lineare Abschreibung
b) degressive Abschreibung
c) Leistungsabschreibung
d) außerplanmäßige Abschreibung
e) geringwertige Wirtschaftsgüter
f) Erinnerungswert

Aufgabe 58
Wie wird bei der linearen Abschreibungsmethode abgeschrieben?
a) mit fallenden Beträgen vom Anschaffungswert
b) mit gleichbleibenden Beträgen vom Anschaffungswert
c) mit fallenden Beträgen vom Restwert
d) mit gleichbleibenden Beträgen vom Restwert
e) mit fallenden Beträgen

Aufgabe 59
Welche ist die richtige Formel für den Abschreibungsprozentsatz bei der linearen Abschreibungsmethode?

a) $\dfrac{\text{Anschaffungswert}}{\text{Nutzungsdauer}}$

b) $\dfrac{100}{\text{Nutzungsdauer}}$

c) $\text{Buchwert} \cdot \dfrac{\text{Anschaffungswert}}{100}$

d) $\dfrac{\text{Nutzungsdauer}}{\text{Anschaffungswert}}$

e) $\dfrac{\text{Nutzungsdauer}}{100}$

Aufgabe 60

In der Tapken KG beläuft sich der Buchwert einer Maschine auf 140.000,00 €. Die planmäßige Abschreibung beträgt 35.000,00 €. Bedingt durch technischen Fortschritt verliert die Maschine zusätzlich 6.000,00 € an Wert.

Berechnen Sie den neuen Buchwert.

Aufgabe 61

Welche drei Gruppen von Forderungen unterscheidet man nach dem Grad der Güte (Bonität)? (Drei Antworten sind richtig.)

a) bezahlte Forderungen
b) einwandfreie Forderungen
c) zweifelhafte Forderungen
d) uneinbringliche Forderungen
e) unbezahlte Forderungen

Aufgabe 62

In welchem der unten aufgeführten Fälle liegt eine uneinbringliche Forderung vor?

a) Ein Kunde stellt seine Zahlung ein.
b) Das Insolvenzverfahren über das Vermögen eines Kunden wird eröffnet.
c) Ein Kunde zahlt nicht den vollen fälligen Betrag.
d) Eine Forderung ist verjährt.
e) Der Kunde ist nicht erreichbar.

11 Die zeitliche Abgrenzung

Aufgabe 63

Welches Konto ist in den folgenden Fällen zur zeitlichen Abgrenzung zu verwenden?

a) Am Jahresende steht die Rechnung der Stadtwerke für den Monat Dezember aus. Nach Ablesen der verschiedenen Stromzähler werden Stromkosten in Höhe von 2.089,00 € ermittelt.

b) Die Gruna KG hat früher der Kilian GmbH ein Darlehen gewährt. Diese muss halbjährlich am 30. April und 31. Oktober einen Zinsbetrag in Höhe von 600,00 € an die Gruna KG überweisen.

c) Die Versicherungen für die Pkws und Lkws der Gruna KG in Höhe von 18.000,00 € wurden am 1. Oktober für ein Jahr im Voraus überwiesen.

d) Die Gruna KG hat ein zu klein gewordenes Lager in Rostock an die Garbers OHG vermietet. Diese zahlt am 1. Dezember die Vierteljahresmiete in Höhe von 18.000,00 € im Voraus.

Aufgabe 64

Die halbjährlich fälligen Darlehenszinsen vom 1. September bis zum 28. Februar von 1.200,00 € werden vom Darlehensschuldner der Gruna KG am 28. Februar an diese überwiesen (200,00 € Zinsen).

a) Bitte buchen Sie den Geschäftsfall am Bilanzstichtag des Abschlussjahres.

b) Wie lautet die Buchung bei Zahlungseingang am 28. Februar des neuen Geschäftsjahres?

Aufgabe 65

Ein Aufwand bzw. Ertrag, der durch das laufende Geschäftsjahr wirtschaftlich begründet ist, dessen Zahlungsvorgang jedoch erst im neuen Geschäftsjahr erfolgt, wird am Bilanzstichtag als was buchungsmäßig erfasst?

(1) sonstige Forderung bzw. sonstige Verbindlichkeit

(2) sonstige Verbindlichkeit bzw. Darlehen

(3) kurzfristige Verbindlichkeit bzw. Forderung

(4) Verbindlichkeit bzw. Hypothek

(5) Forderung bzw. Disagio

12 Die Bewertung von Bilanzpositionen

Aufgabe 66

Welche der folgenden Aussagen zur Bewertung von Verbindlichkeiten sind falsch?

a) Verbindlichkeiten sind mit ihrem Rückzahlungsbetrag anzusetzen.
b) Bei der Bewertung von Verbindlichkeiten gilt das Niederstwertprinzip.
c) Verbindlichkeiten sind mit ihrem Erfüllungsbetrag zu aktivieren.
d) Der Erfüllungsbetrag ist der Betrag, der bei normaler Abwicklung des Geschäfts zur Tilgung der Verpflichtung benötigt wird.
e) Fallen die Wechselkurse, darf der Wert der Verbindlichkeiten zum Zeitpunkt der Erstverbuchung nicht unterschritten werden.
f) Für ein etwaiges Disagio bei Darlehen und Hypotheken besteht steuerrechtlich eine Passivierungspflicht.
g) Ist der Rückzahlungsbetrag niedriger als der Auszahlungsbetrag, spricht man bei der Differenz vom Disagio.

Aufgabe 67

Welche Unterscheidung gilt bei der Bewertung des Anlagevermögens?

a) neuer Buchwert/alter Buchwert
b) lineare Methode und Durchschnittsbewertung
c) nicht abnutzbares und abnutzbares Anlagevermögen
d) degressive und lineare Methode
e) degressive Methode und Durchschnittsbewertung

Aufgabe 68

Welches Verfahren unterstellt, dass die zuerst angeschafften Vorräte auch zuerst veräußert oder verbraucht werden?

a) Disagio
b) Lifo
c) Fifo
d) Fofi
e) Foli

Aufgabe 69
Welches Verfahren ist zulässig bei der Bewertung der Vorräte?
a) degressive Methode
b) lineare Methode
c) Durchschnittsbewertung
d) Abnutzungsmethode

Aufgabe 70
Eine Durchschnittswertermittlung (Durchschnittsbewertung) kann in welchen zwei Formen durchgeführt werden?
a) jährliche und laufende Durchschnittswertermittlung
b) quartalsanteilige und monatliche Durchschnittswertermittlung
c) monatliche und laufende Durchschnittswertermittlung
d) wöchentlich und laufende Durchschnittswertermittlung
e) tägliche und laufende Durchschnittswertermittlung

Aufgabe 71
Nach welchem Prinzip sind Verbindlichkeiten anzusetzen?
a) Niederstwertprinzip
b) Höchstwertprinzip
c) Beides ist möglich.
d) Es gibt eine freie Wahl der Höhe der Verbindlichkeiten.

13 Zahlungsformen

Aufgabe 72
Was versteht man Sie unter Barzahlung?

Aufgabe 73
Führen Sie Funktion und Bestandteile einer Quittung auf.

Aufgabe 74
Unterscheiden Sie Dauerauftrag und Lastschriftverfahren als Sonderformen der bargeldlosen Zahlung.

14 Berechnung von Zinsen

Aufgabe 75

Die Martin KG möchte sich 55.000,00 € zu 6,5 % Zinsen p. a. leihen. Wie viel Euro muss sie dann nach einem Jahr an Zinsen zahlen?

a) 6.000,00 €
b) 4.500,00 €
c) 3.575,00 €
d) 2.750,00 €

Aufgabe 76

Wie viel Euro muss die Martin KG zurückzahlen, wenn sie sich für 9 Monate 40.000,00 € zu 5,5 % Zinsen p. a. leiht?

a) 58.000,00 €
b) 48.400,00 €
c) 43.900,00 €
d) 42.200,00 €

Aufgabe 77

Die Martin KG hat einen Kredit von 30.000,00 € für 256 Tage aufgenommen und muss 362,67 € an Zinsen zahlen.

Wie hoch war der Zinssatz, zu dem sie das Geld geliehen hat?

a) 1,7 %
b) 1,5 %
c) 1,8 %
d) 2,0 %

15 Der Zahlungsverzug

Aufgabe 78

Die Tom Bartels KG vermisst einen Zahlungseingang von Robert Menne, Herrenhäuserstr. 55, 30169 Hannover.

a) Welche Voraussetzungen müssen gegeben sein, damit Robert Menne sich im Zahlungsverzug befindet?

b) Welche Rechte kann die Tom Bartels KG bei einem Zahlungsverzug gegenüber Robert Menne geltend machen?

Aufgabe 79

Muss in den folgenden Fällen gemahnt werden?

a) „zahlbar bis Ende Juli"
b) „zahlbar sofort"
c) „zahlbar bis zur 20. Kalenderwoche

16 Mahnverfahren und Verjährung

Aufgabe 80

Was versteht man unter dem außergerichtlichen Mahnverfahren?

Aufgabe 81

Was geschieht, wenn der Schuldner beim gerichtlichen Mahnverfahren innerhalb von zwei Wochen dem Mahnbescheid des Gläubigers widerspricht?

a) Der Gläubiger kann einen Vollstreckungsbescheid beantragen.
b) Das strittige Verfahren wird vor Gericht durchgeführt.
c) Der Gläubiger kann die Zwangsvollstreckung beantragen.
d) Es geschieht nichts.
e) Das Gericht zwingt den Schuldner zur Zahlung des Betrags.

Aufgabe 82

Welche Aussage trifft auf das gerichtliche Mahnverfahren zu?

a) Das gerichtliche Mahnverfahren wird immer von einem Landgericht durchgeführt.
b) Die Tom Hoss KG als Antragsteller muss dem zuständigen Gericht nachweisen, dass sein Anspruch zu Recht besteht.
c) Wenn der Schuldner der Tom Hoss KG gegen den Mahnbescheid Widerspruch erhebt, kann die Tom Hoss KG die Zustellung eines Vollstreckungsbescheids beantragen.
d) Wenn der Schuldner der Tom Hoss KG nichts gegen den Vollstreckungsbescheid unternimmt, kann eine Zwangsvollstreckung durchgeführt werden.

Aufgabe 83

Geben Sie an, welche Aussage zur Verjährung richtig ist.

(1) Ein gerichtlicher Vollstreckungsbescheid verjährt nach 12 Jahren.
(2) Jede außergerichtliche Mahnung unterbricht die Verjährung.
(3) Verjährungsfristen können durch die AGB abgeändert werden.
(4) Verjährte Forderungen können vom Gläubiger geltend gemacht werden, aber nicht gerichtlich eingefordert werden.
(5) Jede Forderung eines Gläubigers verjährt genau zwei Kalenderjahre nach Entstehung.

17 Kreditarten

17.1 Kredite

Aufgabe 84

Erläutern Sie die folgenden Begriffe:

a) kurzfristige Kredite
b) mittelfristige Kredite
c) langfristige Kredite
d) Kontokorrentkredit
e) Darlehen
f) Fälligkeitsdarlehen
g) Abzahlungsdarlehen (Ratentilgung)
h) Annuitätendarlehen
i) Lieferantenkredit
j) Einfacher Personalkredit
k) Verstärkte Personalkredite
l) Bürgschaft
m) Zession
n) Realkredite
o) Lombardkredit
p) Hypothek

B Kaufmännische Steuerung von Geschäftsprozessen

Aufgabe 85

Welche der folgenden Aussagen ist falsch?

a) Der Vorteil einer Sicherungsübereignung ist, dass der Schuldner die Sache weiterhin nutzen kann.
b) Eine stille Zession liegt vor, wenn der Drittschuldner keine Kenntnis von der Forderungsabtretung hat.
c) Wenn neben dem Kreditnehmer noch weitere Personen haften, handelt es sich um einen verstärkten Personalkredit.
d) Bei einem Lombardkredit wird die Bank der Eigentümer der beliehenen Wertpapiere.

Aufgabe 86

Die „Einrede der Vorausklage" bedeutet, ...

a) dass der Kreditnehmer und der Bürge die Forderung zu je gleichen Teilen bezahlen müssen.
b) dass der Bürge sein Versprechen hält und die Forderung für den Kreditnehmer bezahlt.
c) dass sie im Zusammenhang mit einer Bürgschaft überhaupt nichts aussagt.
d) dass der Bürge erst zahlt, wenn beim Kreditnehmer erfolglos gepfändet wurde.

Aufgabe 87

Welche zwei der folgenden Aussagen sind richtig?

a) Zur Sicherung von Krediten können Personen, aber auch Sachgegenstände dienen.
b) Kann ein Kreditnehmer das Geld nicht zurückzahlen, wird der Kreditvertrag als nichtig erklärt.
c) Kreditwürdig sind nur natürliche Personen.
d) Ein anderer Begriff für Kreditwürdigkeit ist Bonität.
e) Die Zession gehört zu den Sachkrediten.

17.2 Vermeidung von Kreditkosten durch Leasing und Factoring

Aufgabe 88
Erläutern Sie die folgenden Begriffe:
a) Factoring
b) Factoringgebühr
c) Sicherheitseinbehalt
d) Delkredere
e) offenes Factoring
f) stilles Factoring
g) echtes Factoring
h) unechtes Factoring

Aufgabe 89
Was ist der Unterschied zwischen „echtem" und „unechtem" Factoring?
a) Beim „echten" Factoring bietet der Factor eine zusätzliche Delkrederefunktion an, die z. B. in der Sicherung vor Verlusten aus Insolvenzen besteht.
b) Beim „unechten" Factoring bietet der Factor eine zusätzliche Delkrederefunktion an, die z. B. in der Sicherung vor Verlusten aus Insolvenzen besteht.
c) Beim „echten" Factoring bietet der Factor eine zusätzliche Delkrederefunktion an, die aus einer Kreditgewährungsfunktion besteht.
d) Beim „unechten" Factoring bietet der Factor eine zusätzliche Delkrederefunktion an, die z. B. aus der Übernahme von Wechseln besteht.

Aufgabe 90
Welches ist ein Merkmal des Finance-Leasings?
a) Der Vertrag besteht ohne feste Grundmietzeit.
b) Der Vertrag kann vom Leasingnehmer jederzeit gekündigt werden.

c) Das Investitionsrisiko liegt beim Leasinggeber.

d) Der Leasinggeber stellt das Kapital zur Verfügung und trägt das Kreditrisiko.

18 Kostenrechnung

18.1 Die Kostenartenrechnung

Aufgabe 91

Ordne Sie den Situationen die folgenden Begriffe richtig zu:

→ Einzahlung
→ Einnahme
→ Ertrag
→ Leistung
→ Auszahlung
→ Ausgabe
→ Aufwand
→ Kosten

a) Ein Kunde der Nörten GmbH begleicht seine Rechnung in Höhe von 10.000,00 €.

b) Barverkauf einer Ware auf einer Messe

c) Verkauf von Waren auf Ziel durch die Nörten GmbH

d) Die Nörten GmbH begleicht eine Verbindlichkeit in Höhe von 20.000,00 € per Banküberweisung.

e) Barkauf auf einer Messe

f) Einkauf von Waren auf Ziel durch die Nörten GmbH

g) Die Nörten GmbH verkauft Regale zum Buchwert von 2.500,00 €.

h) Die Nörten GmbH kauft einen neuen Lkw für 67.000,00 €.

i) Ein Firmen-Pkw mit dem Buchwert von 3.000,00 € wird für 5.000,00 € verkauft.

j) Die Nörten GmbH kauft für die Herstellung (durch entsprechenden Aufdruck) personalisierter T-Shirts 100 unbedruckte Exemplare und verbraucht sie im gleichen Jahr.
k) Die Nörten GmbH bedruckt T-Shirts und nimmt sie auf Lager (verkauft werden sie im nächsten Jahr).
l) Die Nörten GmbH schreibt ein Gebäude planmäßig ab.
m) Einem Kunden der Nörten GmbH werden Verzugszinsen in Rechnung gestellt.
n) Die Nörten GmbH spendet für die Opfer einer Hochwasserkatastrophe.
o) Die Nörten GmbH produziert Textilien und verkauft diese auch.
p) Die Nörten GmbH versichert die Warenvorräte.
q) Differenzen bei der unterschiedlichen Bewertung der Vorräte zwischen Geschäftsbuchführung und Kosten- und Leistungsrechnung.
r) In der Nörten GmbH wird der Unternehmerlohn für Herrn Goran, der im Unternehmen mitarbeitet, einkalkuliert.

Aufgabe 92

Definieren Sie die folgenden Begriffe:

a) Gemeinkosten
b) progressive Kosten
c) Einzelkosten
d) fixe Kosten
e) proportionale Kosten
f) variable Kosten
g) sprungfixe Kosten
h) Gesetz der Massenproduktion
i) Grundkosten
j) kalkulatorische Kosten

18.2 Die Kostenstellenrechnung

Aufgabe 93

Vervollständigen Sie den folgenden Text um die Begriffe.

> BAB – Betriebsabrechnungsbogen – direkte – Funktionsbereichen – Gemeinkosten –Hauptkostenstellen – Kostenstelle – Kostenstellenplan – Kostenträger – Kostenverursachung – kostet – Leistungseinheit – Prozentsatz – unwirtschaftliche – Vertrieb – Verursachungsbereichen – Verwaltung – Verwaltung – Zuschlagssätze – Kostensteigerung – Nebenkostenstellen – Einheiten – Unternehmung – Verantwortungsträger

Die Kostenstellenrechnung übernimmt die Aufgabe, die Kosten so zu erfassen, dass sie jeder _____ eines Unternehmens (= Kostenstelle) zugeordnet werden können. Sie ordnet die Kosten ihren _____ zu. Die Kostenstellenrechnung identifiziert somit wirtschaftliche bzw. _____ Bereiche des Betriebsprozesses.

Im Rahmen der Kostenstellenrechnung wird das Unternehmen in kleine _____ – meistens sind diese Organisationseinheiten der _____ – zerlegt. Diesen werden die dort verursachten Kosten zugeordnet. Mit den ermittelten Kosten kann die betriebliche Tätigkeit kontrolliert werden. Wird beispielsweise eine _____ bei einer Kostenstelle festgestellt, muss der für die Kostenstelle _____ Maßnahmen ergreifen.

Unterschieden werden zunächst einmal zwei Arten von Kostenstellen:

→ Bei den _____ erfolgt die eigentliche betriebliche Tätigkeit, nämlich die _____ Leistungserstellung.
→ Die _____ unterstützen die Hauptkostenstellen bei der Erzeugung von deren Leistungen.

In vielen Unternehmen wird für die verwendeten Kostenstellen ein _____ geführt.

Die Kostenstellen werden sehr oft nach den _____ eingeteilt:

–→ Material
–→ Fertigung
–→ _____
–→ _____

Auf diese Kostenstellen werden die _____ umgelegt. Dies sind Kosten, die unbedingt nötig sind, um ein Produkt zu erstellen, aber diesem _____ nicht direkt zugeordnet werden können. Gemeinkosten sind oft Kosten, die mit der _____, Kontrolle und Steuerung des Unternehmens zu tun haben.

Das wichtigste Instrument der Kostenstellenrechnung ist der _____. Dieser wird oft mit _____ abgekürzt. Er hilft bei der Lösung eines der größten Probleme der Kostenrechnung: Er schlüsselt die Kostenarten, die sich auf mehrere Leistungen beziehen, entsprechend ihrer _____ auf. Er stellt eine Tabelle für die interne Kostenverrechnung dar, mit der die _____ für die Selbstkostenkalkulation gebildet werden können.

Zusammengefasst: In tabellarischer Form werden die auf jede _____ entfallenden Gemeinkosten als _____ den in der Kostenstelle verursachten Einzelkosten zugeschlagen. Mit den ermittelten Gemeinkostenzuschlägen können später in der Kostenträgerrechnung Information darüber gewonnen werden, wie viel das Produkt _____.

18.3 Die Kostenträgerrechnung

Aufgabe 94

Vervollständigen Sie den folgenden Text um die Begriffe.

> Betriebsgewinn – betriebswirtschaftlicher – Deckungsbeitrag – Erfolg – fixen – Fixkosten – Kostenträgern – Kostenträgerrechnung – Periode – Preisuntergrenze – Produkt – Selbstkosten – Stück – Teilkostenrechnung – variablen – Verkaufserlösen – Verkaufspreis – Vollkostenrechnung – wirtschaftlich

Die Kostenträgerrechnung ist die Methode der Kosten- und Leistungsrechnung, die insgesamt den größten Beitrag zur Steuerung von Unternehmen liefert. Sie ermittelt, für welches _____ in welcher Höhe Kosten angefallen sind: Sie ermittelt also den _____ des Kostenträgers. Unter _____ versteht man die Leistungen, deren Erstellung die Kosten verursacht hat.

Es gibt zwei grundlegende Arten der _____. Beide Arten ermitteln, in welcher Höhe Kosten für einen Kostenträger (zum Beispiel ein Produkt) entstanden sind:

Bei der _____ werden alle Kosten (sowohl die _____ als auch die variablen) auf die Produkte umgelegt. Diese Art der Kostenträgerrechnung dient der Ermittlung der _____ im Rahmen der Verkaufskalkulation.

Im Rahmen der _____ werden nur Teile der Gesamtkosten (in der Regel nur die _____ Kosten) auf die Produkte umgelegt. Diese Art der Kostenträgerrechnung dient der Unterstützung _____ Entscheidungen. Sie ermittelt zum Beispiel den Deckungsbeitrag. Dies ist der Betrag, mit dem einzelne Artikel oder Warengruppen eines Sortiments zur Deckung der _____ beitragen.

Die Deckungsbeitragsrechnung hat drei Grundideen:

→ Ein _____ sollte mindestens die variablen Kosten des Produkts abdecken.
→ Über die variablen Kosten hinausgehende Beträge liefern einen Beitrag (= _____) zur Abdeckung der Fixkosten.
→ Ist der Deckungsbeitrag größer als die fixen Kosten, wird ein _____ erzielt.

Um die Deckungsbeiträge für die einzelnen Artikel, Warenarten und Warengruppen zu ermitteln, werden von den _____ der Artikel die jeweils durch sie verursachten variablen Kosten abgezogen. Die Deckungsbeiträge können je _____ oder für eine _____ ermittelt werden.

Im Rahmen der Deckungsbeitragsrechnung – als Teilbereich der Teilkostenrechnung – wird oft auch die sogenannte _____ ermittelt. Bis zu dieser ist eine Preissenkung für das Unternehmen möglich und _____ sinnvoll. Sie liegt dort, wo der Verkaufspreis sämtliche durch diesen Artikel direkt verursachten Kosten deckt.

Aufgabe 95

Welcher Nachteil ergibt sich in der Vollkostenrechnung?

a) Die Handlungskosten (Gemeinkosten) werden den Kostenträgern nicht verursachungsgerecht zugeordnet.
b) Fixe Kosten werden nicht dazugerechnet.
c) Variable Kosten werden vernachlässigt.
d) Der Beschäftigungsgrad des Betriebes wird hier mit einkalkuliert.
e) Mit der Vollkostenrechnung wird der erwartete Gewinn/Verlust tatsächlich berechnet.

Aufgabe 96

Wie wird der Deckungsbeitrag errechnet?

a) Verkaufspreis / variable Kosten
b) Verkaufspreis + Fixkosten
c) Einkaufspreis / variable Kosten
d) Verkaufspreis / Fixkosten
e) Verkaufspreis + variable Kosten

Aufgabe 97

Wo liegt der Break-Even-Point?

a) im Schnittpunkt der Erlös- und Kostenfunktion
b) in der Gewinnzone
c) in der Verlustzone
d) in der neutralen Zone
e) im Schnittpunkt zwischen Deckungsbeitrag und Kostenfunktion

Aufgabe 98

Wie wird der Break-Even-Point bestimmt?

a) Erlös = tatsächlicher Kostenverlauf
b) Erlös = verrechnete Kostenkurve der Vollkostenrechnungen
c) tatsächlicher Kostenverlauf = verrechnete Kostenkurve der Vollkostenrechnungen
d) Fixkosten = Erlös
e) Fixkosten = tatsächlicher Kostenverlauf

Aufgabe 99

Was versteht man unter einem Deckungsbeitrag?

a) die Differenz zwischen den Verkaufserlösen und den variablen Kosten eines Kostenträgers

b) die Differenz zwischen den Verkaufserlösen und den fixen Kosten eines Kostenträgers

c) die Differenz zwischen den Verkaufserlösen und den variablen Kosten einer Kostenstelle

d) den Beitrag des Gewinns

e) die Summe für vorhergesehene Ausgaben eines Betriebes

19 Das Controlling

Aufgabe 100

Ordnen Sie den Bereichen jeweils einen Baustein des Controlling-Berichtswesens zu.

Bereiche des Controllings:

a) Kostenbereich

b) Personalbereich

c) Lagerbereich

d) Absatzbereich

e) Erfolgsbereich

f) Finanzbereich

Bausteine:

(1) Kapazitätsauslastung

(2) Lohn- und Gehaltskosten

(3) Betriebsergebnisrechnung

(4) Liquidität

(5) fixe Kosten

(6) Gesamtumsatz

Das Controlling

Aufgabe 101

Welche Aussage über das Controlling ist richtig?

(1) Die Zielvorgabe des operativen Controllings ist die Erhöhung der Rentabilität.
(2) Controlling-Abteilungen besitzen kein fachliches Weisungsrecht.
(3) Die Aufgabe des Controllers ist es, die Zielvorgaben zu realisieren.
(3) Die Kostenstellenleiter haben Preis- und Verbrauchsabweichungen zu verantworten.
(4) Die Geschäftsführung muss das Budget der einzelnen Kostenstellen festlegen.

Aufgabe 102

Welche Aussage zählt nicht zum strategischen Controlling?

(1) Der Betrachtungszeitraum ist langfristig.
(2) Die Informationsgrundlagen sind Daten aus der Kosten- und Leistungsrechnung.
(3) Einziges Ziel ist die Zukunftssicherung des Unternehmens.
(4) Die Informationsgrundlagen sind u. a. gesellschaftliche, politische und wirtschaftliche Daten über die Entwicklung der Zukunft.

Aufgabe 103

Was gibt die Eigenkapitalrentabilität an?

Aufgabe 104

Was drücken die Liquiditätskennzahlen aus?

a) Sie drücken die Schulden aus, die in der Bilanzerstellung auftreten.
b) Sie erhöhen die Werte des Anlagevermögens.
c) Sie drücken den über das Jahr erwirtschafteten Gewinn in der Bilanz aus.
d) Sie drücken die grundsätzliche Zahlungsbereitschaft des Unternehmens zum Zeitpunkt der Bilanzerstellung aus.
e) Sie drücken aus, wie das Eigenkapital im Unternehmen auf das Vermögen und die Schulden aufgeteilt ist.

20 Buchhalterische Besonderheiten

20.1 Buchhalterische Besonderheiten beim Einkauf

Aufgabe 105
Wie werden Bezugskosten buchhalterisch erfasst?

Aufgabe 106
Auf welchen Konten werden folgende Positionen gebucht?
a) Rücksendungen
b) Preisnachlässe
c) Boni
d) Lieferantenskonti

20.2 Buchhalterische Besonderheiten beim Verkauf von Waren

Aufgabe 107
Wie werden Vertriebskosten wie Transportkosten oder Verpackungsmaterial gebucht?

Aufgabe 108
Über welche Konten werden folgende Positionen gebucht?
a) Rücksendungen
b) Kundenskonti

21 Projektorientierte Arbeitsorganisation

Aufgabe 109
Was ist kein Merkmal eines Projekts?
(1) Zusammenarbeit von Spezialisten

(2) Das Projekt ist zeitlich begrenzt.

(3) einmaliges Vorhaben

(4) Durch genaue Planung und Organisation kommt es immer zur Planerfüllung.

(5) Risikominderung durch rechtzeitige Absprachen

Aufgabe 110

Was ist eine Phase eines Projekts?

(1) Meilenstein

(2) Kick-off-Sitzung

(3) Dokumentation

(4) Projektabschluss

(5) Netzplanung

Aufgabe 111

Welches ist die Phase in einem Projekt, in der die Projektarbeit inhaltlich und terminlich genau strukturiert wird?

(1) Projektstart

(2) Projektplanung

(3) Projektdurchführung

(4) Projektabschluss

(5) Nullphase

Aufgabe 112

Die Kick-off-Sitzung ist die erste gemeinsame Sitzung des Projektteams nach der Erteilung des Projektauftrages.

Was wird hier nicht besprochen bzw. festgelegt?

(1) Vereinbarung von Spielregeln

(2) Zusammenstellung des Projektteams

(3) Herstellen eines gleichen Informationsstandes

(4) Kennenlernen der Projektmitglieder

(5) Verteilung von Aufgaben

Aufgabe 113

Was kennzeichnet den Begriff „Meilenstein"?

(1) eine einfach zu erstellende Terminplanung von Arbeitspaketen
(2) wesentliches Zwischenziel in einem Projekt
(3) den Projektstart
(4) Präsentation des Projektergebnisses
(5) Projektidee

Aufgabe 114

Was versteht man unter der Nullphase?

(1) Es wird erkannt, dass ein Problem vorliegt, dieses Problem soll mithilfe eines Projektes gelöst werden.
(2) Die Nullphase ist der Punkt, an dem das Projekt beendet ist.
(3) Die Nullphase kennzeichnet den Zeitpunkt, an dem alle Projektmitglieder vor einem scheinbar unlösbaren Problem stehen und sprichwörtlich „null Plan" haben.
(4) Die Nullphase ist der Punkt, an dem das Projekt beginnt.
(5) Es wird erkannt, dass während des Projekts keine Probleme auftauchen dürften (null Problem).

Aufgabe 115

Was kennzeichnet der Pfeil in einem Netzplan?

(1) Der Pfeil zeigt die Beziehung zwischen Vorgänger und Nachfolger an.
(2) Der Pfeil markiert in der Darstellung die Stelle des kritischen Weges, wo die meisten Probleme auftauchen könnten.
(3) Der Pfeil gibt an, wann jeder einzelne Vorgang jeweils beginnen kann.
(4) Der Pfeil informiert, wann der Vorgang frühestens beendet sein kann.
(5) Der Pfeil informiert, welche Gruppe für diesen Arbeitsbereich zuständig ist.

Aufgabe 116

Wie berechnet sich der früheste Endzeitpunkt (FEZ) in einem Netzplan?

(1) SAZ − FAZ = FEZ

(2) FAZ + FEZ − SAZ = FEZ

(3) FAZ + Dauer des Vorgangs = FEZ

(4) Dauer des Vorgangs − SEZ = FEZ

(5) FAZ − SAZ + (Dauer des Vorgangs + SEZ) = FEZ

C
PROZESSORIENTIERTE ORGANISATION VON GROSSHANDELSGESCHÄFTEN

1 Handelsspezifische Beschaffungslogistik

1.1 Die Auswahl von Transportmitteln

Aufgabe 117

Wählen Sie die zweckmäßige Transportart für die folgenden Fälle.
a) 525 Tonnen Kohle von Essen nach Mannheim
b) 400 Tonnen Eisenerz von Hamburg nach München
c) 25 Tonnen nicht gekühltes Obst von Israel nach Frankfurt
d) Fertighauselemente von Fallingbostel nach Schleswig
e) 30 000 Prospekte – in einer bayerischen Druckerei günstig hergestellt – von Augsburg nach Hildesheim

Aufgabe 118

Eine Hamburger Textilgroßhandlung hat folgende Transportfälle:
a) Es müssen 4 000 Sakkos an die Firma Magyartex in Budapest und 2 900 Hosen an die Larstadt Warenhaus AG verschickt werden.
b) Die Fairtext GmbH bestellt jetzt Jeans in Shanghai für die Saison in sechs Monaten.
c) Ein großes amerikanisches Warenhaus bestellt heute 300 Anzüge. Diese sollen spätestens in fünf Tagen in New York sein.
d) Die Larstadt Warenhaus AG hat kurzfristig eine so große Nachfrage nach Hemden zu verzeichnen, dass ein Ausverkauf droht. Sie ordert 10 000 Stück bei uns und erhofft sich eine Lieferung bis übermorgen. Mit dem Frachtführer eine Geld-zurück-Garantie bei verspäteter Abgabe abschließen.

Wählen Sie die zweckmäßige Transportart.

1.2 Der Werkverkehr

Aufgabe 119

Was ist für eine Tourenplanung erforderlich?

(1) Planungsraumdaten, Kundenstammdaten, Auftragsdaten, Fuhrparkstammdaten, Personalstammdaten

(2) Planungsraumdaten, Kundenstammdaten, Auftragsdaten, Fuhrparkstammdaten, Flexibilität

(3) Planungsraumdaten, Kundenstammdaten, Ersatzfahrzeuge, Fuhrparkstammdaten, Flexibilität

(4) Planungsraumdaten, Auftragsdaten, Fuhrparkstammdaten, Auslieferungskosten

(5) Planungsdaten, Kundendaten, Auftragsstammdaten, Fuhrparkstammdaten, Personaldaten

Aufgabe 120

Geben Sie an, welches Dokument im Rahmen der firmeneigenen Zustellung vom Auslieferungsfahrer ausgehändigt wird und welche Angaben dieses enthält.

2 Firmenfremde Zustellung mit Frachtführern

2.1 Verkehrsmittelarten

Aufgabe 121

Welches sind die vier Bestandteile des Eisenbahnfrachtbriefes?

(1) Frachtbriefdoppel, Versandblatt, Empfangsblatt, Ladeschein

(2) Versandblatt, Frachtbriefdoppel, Empfangsblatt, Frachtbrief

(3) Frachtbrief, Ladeschein, Frachtbriefdoppel, Lieferschein

(4) Lieferschein, Ladeschein, Frachtbrief, Empfangsblatt

(5) Empfangsblatt, Lieferschein, Frachtbriefdoppel, Empfangsquittung

Aufgabe 122

Wofür dient der Luftfrachtbrief nicht?

(1) als Beweis für den Empfang der Güter zur Beförderung
(2) als Versandliste, auf der die Begleitpapiere und ggf. besondere Anweisungen des Absenders eingetragen sind
(3) als Frachtrechnung
(4) als Ladeschein

Aufgabe 123

Ordnen Sie den untenstehenden Punkten die aufgeführten Transportpapiere 1–4 zu.

a) muss für den grenzüberschreitenden Güterverkehr ausgestellt werden
b) Versand- und Verfügungspapier in der Binnenschifffahrt
c) muss nach dem Montrealer Abkommen aus mindestens drei Ausfertigungen bestehen
d) beweist den Versand der Ware im Seefrachtverkehr

Transportpapiere:

1. Ladeschein, 2. Luftfrachtbrief, 3. internationaler Frachtbrief, 4. Konnossement

Aufgabe 124

Von wem wird die Binnenschifffahrt betrieben?

(1) Partikulieren, Reedereien, Werksbetrieben
(2) Spediteuren, Reedereien, Werksbetrieben
(3) Partikulieren, Reedereien, Spediteuren
(4) Frachtführern, Spediteuren, Partikulieren
(5) Partikulieren, Frachtführern, Werksbetrieben

Aufgabe 125

Erläutern Sie die folgenden Begriffe.

a) Werkverkehr
b) Frachtführer
c) Beförderungs- und Ablieferungspflicht

d) Befolgungspflicht
e) Haftpflicht
f) Frachtbriefausstellung
g) Vergütungsanspruch
h) Pfandrecht

Aufgabe 126

Ordnen Sie den folgenden Begriffe der Binnenschifffahrt die richtige Erklärung zu.

a) Partikuliere
b) Reedereien
c) Werksschifffahrt
d) Gesamtverfrachtung
e) Teilverfrachtung
f) Stückgutverfrachtung

   (1) Das ganze Schiff wird vom Absender gechartert.
   (2) Die Stückgutsendung wird dem Frachtführer vom Absender übergeben.
   (3) Schifffahrtsunternehmen, die über eine eigene Flotte von Binnenschiffen verfügen. Im Gegensatz zum einzelnen Partikulier haben sie eine kaufmännisch eingerichtete und geführte Landorganisation zur Werbung und Abfertigung der Ladung.
   (4) Verschiedene Großunternehmen der Industrie, aber auch des Handels verfügen über eigene Binnenschiffe. Mit diesen befördern sie in eigener Regie eigene Güter für eigene Zwecke des Unternehmens.
   (5) Selbstständige Einzelschiffer, die in der Regel nur ein Schiff besitzen. Der Schiffseigner, der über keine Organisation zur Werbung und Abfertigung der Ladung verfügt, fährt selbst auf seinem Schiff und bewohnt es auch.
   (6) Teile des Schiffs (z. B. bestimmte Laderäume) werden vom Absender gechartert.

Aufgabe 127

Erläutern Sie die folgenden Begriffe des Bahnverkehrs.

a) Stückgutverkehr
b) IC-Kuriergut
c) Wagenladungsverkehr
d) Einzelwagenverkehr
e) Ganzzugverkehr
f) Kombinierter Ladungsverkehr

Aufgabe 128

Erläutern Sie die Begriffe

a) KEP-Dienste
b) Tracking and Tracing

2.4 Spediteure

Aufgabe 129

Was sind Spediteure?

(1) selbstständige Kaufleute, die gewerbsmäßig Güter befördern
(2) Personen, die Waren empfangen
(3) Absender einer Ware
(4) selbstständige Einzelschiffer
(5) selbstständige Kaufleute, die auf Rechnung des Versenders die Güterversendung durch Frachtführer besorgen
(6) Lkw-Fahrer

Aufgabe 130

Erläutern Sie folgende Begriffe.

a) Spediteure
b) Vergütung
c) Selbsteintrittsrecht
d) Gesetzliches Pfandrecht
e) Bahnspediteur

f) Binnenumschlagspediteur
g) Kraftwagenspediteur
h) Seehafenspediteur
i) Luftfrachtspediteur
j) Grenzspediteur
k) Sammelgutspediteur

3 Logistikkonzepte

Aufgabe 131

Was versteht man unter einer logistischen Kette (supply chain)?

(1) den Weg vom Endkunden bis zum Zulieferer
(2) den Weg vom Hersteller bis zum Endkunden
(3) den Weg vom Großhändler bis zum Einzelhändler
(4) den Weg vom Lieferer bis zum Großhändler
(5) den Weg vom Einzelhändler bis zum Endkunden

Aufgabe 132

Was ist das Just-in-time-Prinzip?

4 Transportversicherungen

Aufgabe 133

Prüfen Sie für die folgenden Fälle, welche Versicherung die aufgetretenen Schäden ersetzt. Geben Sie an, zu welcher Versicherungsart die jeweilige Versicherung gehört.

a) Herr Sindig, Fahrer des betriebseigenen Lkw, verursacht einen Auffahrunfall. Sachschaden beim Unfallgegner: 25.000,00 €.
b) Der Kunde Weber GmbH & Co. KG muss Insolvenz anmelden. 87.000,00 € Forderungen fallen aus.
c) Ein geplatztes Wasserrohr führt zu einem großen Schaden im Bürogebäude.
d) Eine kurzzeitige Überspannung führt in einer EDV-Anlage zu einem Schmorschaden.

e) Während der Inventur werden größere Inventurdifferenzen festgestellt. Die Kriminalpolizei teilt wenig später mit, dass ein Mitarbeiter verhaftet wurde, als er einem Hehler Ware übergeben wollte.

f) Der Miteigentümer einer Großhandlung verliert durch einen Unfall im Lager zwei Finger.

g) Übers Wochenende brachen unbekannte Täter in das Lager ein und entwendeten Waren im Wert von 679.000,00 €.

h) Das Lager in einem Filialbetrieb brannte. Es entstand ein sehr großer Sachschaden.

i) Durch den Brand in der Filiale entstand ein großer Gewinnausfall. Aus dem Tank einer benachbarten Großhandlung ist Öl auf das Freigelände der Grotex GmbH geflossen und hat den dort gelagerten Sand verunreinigt. Die Großhandlung weigert sich, den entstandenen Schaden zu ersetzen.

j) Ware, die an einen Kunden mit dem firmeneigenen Lkw ausgeliefert wird, ist auf dem Transport beschädigt worden.

Aufgabe 134
Welche Sachversicherungen sind notwendig, um eine Großhandlung abzusichern?

5 Kontrollen im Wareneingang

Aufgabe 135
Wann wird in der Warenannahme die Ware geprüft, wenn dies „unverzüglich" geschehen soll?

(1) sofort

(2) nächste Woche

(3) in den nächsten Stunden

(4) am nächsten Tag

(5) nächstmöglicher Zeitpunkt ohne schuldhafte Verzögerung

Aufgabe 136
Geben Sie die richtige Reihenfolge der Tätigkeiten bei der Warenkontrolle gegenüber dem Frachtführer an.

(1) Kontrolle von Anschrift, äußerer Beschaffenheit und Richtigkeit des Transportmittels
(2) Abgleich der gelieferten Waren nach Menge und Art mit dem Lieferschein
(3) Dokumentation der Mängel auf Lieferscheinen
(4) Bestätigung der Mängel durch Anlieferer
(5) Empfangsbestätigung und Quittung

6 Lagerlogistik

6.1 Lageraufgaben und -arten

Aufgabe 137

Im Lager der Martin KG werden die Waren nach dem System der chaotischen Lagerhaltung eingelagert.

Welche Aussage trifft zu?

(1) Es wird keine EDV benötigt, um den Standort eines Artikels zu finden.
(2) Jede Ware hat immer ihren festen Platz.
(3) Lagergüter werden dort gelagert, wo gerade Platz ist.
(4) Es geht hier um die Optimierung der Zugriffswege, nicht um eine Optimierung des Flächenbedarfs.
(5) Es ist ein sehr übersichtliches System.

Aufgabe 138

Im Lager der Martin KG werden die Waren nach dem Fifo-Prinzip eingelagert.

Welche Aussage trifft zu?

(1) Ware, die zuletzt eingelagert wurde, wird als erstes wieder ausgegeben.
(2) Ware, die zuletzt eingelagert wurde, wird als letztes wieder ausgegeben.
(3) Ware, die zuerst eingelagert wurde, wird als letztes wieder ausgegeben.

(4) Das Fifo-Prinzip findet überwiegend Anwendung bei Schüttgütern.

(5) Das Fifo-Prinzip kann nicht bei Lebensmitteln angewendet werden.

Aufgabe 139

Wie nennt man im Großhandel die Lager, die in den Filialen eingerichtet sind?

(1) Vorratslager

(2) Umschlagslager

(3) Eigenlager

(4) Fremdlager

(5) zentrale Lager

(6) dezentrale Lager

Aufgabe 140

Welche Funktionen (Aufgaben) eines Lagers beschreiben die folgenden Aussagen?

a) Qualitative Veränderung der Ware

b) Zweckmäßige Behandlung der Lagergüter, um deren Gebrauchsfähigkeit zu erhalten

c) Umpack-, Umfüll-, Misch- und Sortiervorgänge, um noch nicht verwendungsfähige Ware in einen verkaufsfähigen Zustand zu bringen

d) Das Lager ermöglicht günstige Einkäufe.

e) Das Lager ermöglicht den zeitlichen Ausgleich zwischen Beschaffung und Absatz.

f) Artikel werden im Lager bereitgehalten, um die Nachfrage sofort und bedarfsgerecht versorgen zu können.

g) Das Lager ermöglicht Gewinne, wenn bei einer bestimmten Ware im Einkauf Preissteigerungen erwartet werden.

h) Die Qualität der Ware wird gegen Beeinträchtigungen durch klimatische Bedingungen gesichert.

i) Die Spanne zwischen Herstellung- und Verwendungsort eines Artikels wird durch ein Lager überbrückt.

Aufgabe 141

Welche Lagerart ist gemeint?

a) Das Unternehmen lagert seine Ware in eigenen Geschäftsräumen
b) Das Unternehmen lagert Ware in den fremden Lagerräumen eines Lagerhalters
c) Alle Waren werden an einem Ort gelagert
d) Waren werden auf verschiedene Lager verteilt (zum Beispiel auf die Lager und Filialen)
e) Diese Lagerart stellt hohe Kapazitäten für die (langfristige) Aufnahme von Waren zur Verfügung. Es dient der Zeitüberbrückung zwischen Einkauf und Absatz.
f) Diese Lagerart nimmt kurzfristig Güter zwischen dem Umschlag von einem Transportmittel zu einem anderen auf.
g) Dieses Lager ist für witterungsunempfindliche Güter die preisgünstigste Möglichkeit der Lagerung.
h) Dieses Lagers ist in Gebäuden bis zu maximal 7 m Höhe untergebracht
i) Ein übereinander angeordnetes Flachlager auf mehreren Stockwerken
j) Lager mit bis zu 12 m Höhe
k) Lager mit Höhen über 12 m (bis zu 45 m), die über ein hohen Automatisierungsgrad verfügen
l) diese Lagerart dient der Aufnahme von Sicherheitsbeständen zur Aufrechterhaltung der Verkaufsbereitschaft

6.2 Anforderungen an die Lagerhaltung

Aufgabe 142

Nennen und erläutern Sie Anforderungen an die Lagerhaltung.

Aufgabe 143

Wovor müssen die nachstehenden Warenarten geschützt werden?

a) Papier
b) Leder

c) Käse
d) Obst
e) Tabak
f) Filme
g) Holz

6.3 Der optimale Lagerbestand

Aufgabe 144

Vervollständigen Sie den folgenden Text um die Begriffe.

> bindet – Gewinn – Kostengründen – Kundenverluste – Lagerkosten – Lieferbereitschaft – Mengenrabatte – negative – niedrige – optimalen – totes

Das Hauptproblem im Rahmen der Lagerhaltung ist die Ermittlung des _____ Lagerbestands. Darunter versteht man den für das beschaffende Unternehmen günstigsten Lagervorrat. Dieser muss einerseits aus _____ so klein wie möglich gehalten werden. Andererseits muss er groß genug sein, um die _____ aufrechterhalten zu können. Optimal ist ein Lagerbestand dann, wenn die Nachteile eines zu großen sowie eines zu niedrigen Lagerbestands vermieden werden können.

Hohe Lagerbestände haben _____ Auswirkungen:

⇢ Ein hoher Lagerbestand _____ sehr viel Kapital. Dieses nennt man oft auch _____ Kapital.
⇢ Hohe Lagerbestände verursachen hohe _____.
⇢ Es gibt ein größeres Risiko durch verderben, Modewechsel, Saison Wechsel, Veralten und Diebstahl.

_____ Lagerbestände haben ebenfalls negative Auswirkungen:

⇢ _____ durch mangelnde Verkaufsbereitschaft und ein unvollständiges Sortiment. Damit wird letztlich auf _____ verzichtet.
⇢ Das Unternehmen kann auch keine _____ ausnutzen.

Aufgabe 145
Welche Kosten entstehen für die Lagerhaltung?

6.4 Die Kontrolle des Lagerbestands

Aufgabe 146
Welchen Vorteil hat ein kleiner Lagerbestand für ein Unternehmen?

(1) eine niedrige Umschlagsgeschwindigkeit

(2) größerer Umsatz

(3) besserer Schutz vor Preissteigerungen

(4) geringere Kapitalbindung

(5) weniger Aufwand für Nachbestellungen

Aufgabe 147
Am Morgen des ersten Arbeitstages eines Monats liegen bei der Martin KG von einem Artikel noch 150 Stück auf Lager. Der Mindestbestand beträgt 46 Stück. Im Durchschnitt werden täglich 8 Stück abgesetzt.

Nach wie viel Arbeitstagen muss neue Ware bestellt werden, wenn die Lieferzeit 9 Tage beträgt?

(1) nach 2 Arbeitstagen

(2) nach 3 Arbeitstagen

(3) nach 4 Arbeitstagen

(4) nach 5 Arbeitstagen

(5) nach 6 Arbeitstagen

(6) nach 7 Arbeitstagen

(7) nach 8 Arbeitstagen

(8) nach 9 Arbeitstagen

Aufgabe 148
Was ist der Meldebestand (Bestellpunktverfahren)?

(1) Sicherheitsvorrat, der dauernd vorhanden sein muss, um unvorhersehbaren Störungen vorzubeugen

(2) aktueller Warenvorrat
(3) Bestand, der die Zeitspanne zwischen Bestellung bis zur Lieferung der Ware überbrückt
(4) Bestand, der maximal eingekauft/gelagert werden kann
(5) Bestandsmenge, bis zu der verkauft werden kann

Aufgabe 149

Welche der Aussagen sind falsch und welche richtig?

a) Der Mindestbestand ist ein Reservebestand, der einen störungsfreien Ablauf der Betriebstätigkeit ermöglichen soll.
b) Der Mindestbestand wird oft auch kupferner Bestand genannt.
c) Beim Erreichen des Mindestbestands muss sofort nachbestellt werden.
d) Der Mindestbestand darf nur dann angetastet werden, wenn die Verkaufsbereitschaft gefährdet ist.
e) Der Mindestbestand darf angetastet werden, wenn der tatsächliche Absatz der Waren größer ist als der geplante Absatz
f) Durch die Festlegung eines Höchstbestand soll ein niedriger Lagervorrat vermieden werden.
g) Der Höchstbestand ist abhängig von den Lagermöglichkeiten, die zur Verfügung stehen.
h) Beim Erreichen des Meldebestands muss sofort nachbestellt werden.
i) Der Bestellzeitpunkt ist der Tag, an dem der Mindestbestand erreicht wird.
j) Die Formel für den Meldebestand berechnet sich wie folgt: Meldebestand = (täglicher Absatz · Lieferzeit) + Mindestbestand

Aufgabe 150

Der Tagesumsatz eines Artikels beträgt durchschnittlich 40 Stück, die Lieferzeit 10 Tage. Als eiserne Reserve dient ein Mindestbestand von 120 Stück.

Berechnen Sie den Meldebestand.

6.5 Lagerkennziffern

Aufgabe 151

Es gelingt der Martin KG bei einem bestimmten Artikel, die Lagerumschlagsgeschwindigkeit zu erhöhen.

Wie wirkt sich das aus?

(1) Der Lagerzinssatz für diesen Artikel steigt.
(2) Der Mindestbestand sinkt.
(3) Der Meldebestand sinkt.
(4) Die Kapitalbindung wird erhöht.
(5) Die durchschnittliche Lagerdauer wird kleiner.

Aufgabe 152

Die Umschlagshäufigkeit eines Artikels ist 60.

Wie viel Tage beträgt die durchschnittliche Lagerdauer?

(1) 30 Tage
(2) 40 Tage
(3) 50 Tage
(4) 60 Tage
(5) 70 Tage
(6) 80 Tage
(7) 90 Tage

Aufgabe 153

Welche Aussage über Lagerkennzahlen ist richtig?

(1) Je größer die Umschlagsgeschwindigkeit, desto geringer ist der Kapitalbedarf für das Lager.
(2) Je länger die Lagerdauer, desto geringer ist das Lagerrisiko.
(3) Je kürzer die Lagerdauer, desto größer ist das Lagerrisiko.
(4) Die Höhe des durchschnittlichen Lagerbestandes hängt ausschließlich vom Umsatz ab.
(5) Die Lagerdauer ist für den Kaufmann gleichgültig, da ausschließlich der Umsatz zählt.

C Prozessorientierte Organisation von Großhandelsgeschäften

Aufgabe 154

Welche Kennzahl wird mit der Formel „Wareneinsatz / durchschnittlicher Lagerbestand" berechnet?

(1) Mindestbestand

(2) Meldebestand

(3) Lagerzinssatz

(4) durchschnittliche Lagerdauer

(5) Umschlagsgeschwindigkeit

Aufgabe 155

Welche der folgenden Aussagen sind richtig und welche falsch?

a) Der durchschnittliche Lagerbestand gibt für einen bestimmten Zeitabschnitt an, wie groß der Vorrat eines bestimmten Artikels im Durchschnitt ist.

b) Bei Ermittlung des durchschnittlichen Lagerbestandes im Rahmen einer Jahresinventur lautet die Formel zur Berechnung:

   (Anfangsbestand + Endbestand) / 2

c) Bei der Ermittlung des durchschnittlichen Lagerbestandes im Rahmen von Monatsinventuren lautet die Formel zur Berechnung:

   (Anfangsbestand + 12 Monatsendbestände) / 12

d) Der durchschnittliche Lagerbestand kann auch als Wertkennziffer berechnet werden, die aussagt, in welcher Höhe Kapital durch die Lagervorräte im Durchschnitt gebunden ist.

e) Die Lagerumschlagshäufigkeit kann nur wertmäßig berechnet werden.

f) Die Lagerumschlagshäufigkeit gibt an, wie oft der Lagerbestand eines Artikels innerhalb eines Jahres erneuert wird.

g) Die mengenmäßige Lagerumschlagshäufigkeit berechnet sich folgt:

   Jahresabsatz / durchschnittlicher Lagerbestand

h) Die durchschnittliche Lagerdauer gibt an, wie lange ein Artikel durchschnittlich bevorratet wird.

i) Die durchschnittliche Lagerdauer misst die Zeitspanne zwischen dem Wareneingang und der Ankunft des Artikels im Lager.
j) Die durchschnittliche Lagerdauer berechnet sich wie folgt: Lagerumschlagshäufigkeit / 360
k) Es wurde eine Umschlagshäufigkeit von 8 ermittelt. Beträgt die durchschnittliche Lagerdauer 45 Tage?
l) Die Lagerumschlagshäufigkeit einer Branche liegt bei 12. Ein Unternehmen hat eine Lagerumschlagshäufigkeit von 8. Ist dies für das Unternehmen ein positives Ergebnis?

Aufgabe 156

Im Rahmen der Jahresinventur werden für einen Artikel als Jahresanfangsbestand 900.000,00 € und als Endbestand 1.300.000,00 € ermittelt.

Wie hoch ist der durchschnittliche Lagerbestand in Euro?

Aufgabe 157

Bei monatlichen Inventuren werden für einen Artikel in der Stern Warenhaus GmbH folgende Bestände in Stück ermittelt:

Jahresanfangsbestand: 12
Januar: 10
Februar: 20
März: 14
April: 10
Mai: 12
Juni: 16
Juli: 12
August: 10
September: 18
Oktober: 16
November: 14
Dezember: 18

Berechnen Sie den durchschnittlichen Lagerbestand in Stück.

Aufgabe 158

Als Wareneinsatz zu Einstandspreisen wird für eine Warengruppe in einer Filiale der Stern Warenhaus GmbH ein Betrag von 490.000,00 € ermittelt. Der durchschnittliche Lagerbestand dieser Warengruppe beträgt 70.000,00 €.

Berechnen Sie die Lagerumschlagshäufigkeit.

6.6 Die Kommissionierung

Aufgabe 159
Was versteht man unter der Kommissionierung?

Aufgabe 160
Unterscheiden Sie serielles und paralleles Kommissionieren.

Aufgabe 161
Erläutern Sie die Kommissionierprinzipien „Mann zur Ware" und „Ware zum Mann".

6.7 Einlagerung bei Lagerhaltern

Aufgabe 162
Was ist ein Lagerhalter?

Aufgabe 163
Nennen und erklären Sie die Dokumente, auf denen der Lagerhalter die Einlagerung der Ware bescheinigt.

Aufgabe 164
Bei Eigenlagerung fallen fixe Kosten in Höhe von 75.000,00 € an. Die variablen Lagerkosten betragen 25.000,00 € je t. Bei Fremdlagerung fallen 50.000,00 € pro t an.

Berechnen Sie die kritische Lagermenge.

6.8 Lagerverwaltung

Aufgabe 165
Welche Systeme der Lagerplatzzuordnung gibt es ?

Aufgabe 166
Unterscheiden Sie die Verbrauchsfolgeverfahren LIFO und FIFO.

Aufgabe 167
Führen Sie Tätigkeiten auf, die im Lager durchgeführt werden.

Aufgabe 168
Nennen Sie Beispiele für Warenpflege.

7 Marketing

Aufgabe 169
Was verstehen Sie unter dem Begriff „Marketing"?
(1) Es ist die Umsatzsteigerung durch Werbung.
(2) Es ist die maximale Aufnahmefähigkeit eines Marktes für ein Produkt in einer Periode.
(3) Es ist die Gesamtheit der absatzfördernden Maßnahmen.
(4) Es ist der Anteil eines Unternehmens am Marktvolumen.
(5) Es ist ein Verfahren der Marktforschung.

Aufgabe 170
Welches Merkmal kennzeichnet einen Käufermarkt?
(1) Dies ist ein Markt, auf dem die Nachfragen nach Gütern das Angebot übersteigen.
(2) Die Käufer entscheiden auf dieser Form des Marktes ausschließlich mithilfe von Trendscouts selbst, welches Produkt demnächst auf dem Markt erscheinen soll.
(3) Die Beschaffung von Gütern steht dort im Vordergrund.

(4) Das Angebot an Gütern übersteigt die Nachfrage.

(5) Es herrscht keine große Konkurrenz auf der Anbieterseite.

Aufgabe 171

Welches Ziel verfolgt die Marktsegmentierung?

(1) neue Produkte und Güter in das Warensortiment aufnehmen, um so das Angebot für die Kunden zu vergrößern

(2) Kostensenkung durch Kürzung der Löhne und Gehälter

(3) ins Ausland expandieren, um größtmöglichen Gewinn zu erzielen

(4) Aufteilung des Gesamtmarktes in einheitliche Käufergruppen, um so eine bestmögliche Marktbearbeitung zu gewährleisten

(5) Verkäufermärkte langfristig in Käufermärkte umwandeln

7.2 Marktforschung

Aufgabe 172

Welche Eigenschaft trifft auf eine Marktbeobachtung zu?

(1) zukunftsbezogen

(2) zeitraumbezogen

(3) zeitpunktbezogen

(4) absatzbezogen

(5) keine Alternative ist richtig

Aufgabe 173

In der Marktforschung unterscheidet man bei der Erschließung von Informationsquellen zwischen Primär- und Sekundärforschung.

Bei welcher Maßnahme handelt es sich nicht um eine Sekundärerhebung?

(1) Analyse von Geschäftsberichten der Wettbewerber

(2) Auswertung von Prospekten, Preislisten von Mitbewerbern

(3) Sichtung der Kundenstatistik

(4) Auswertung der Branchenkennzahlen des Großhandelsverbandes

(5) Durchführung von Verbraucherinterviews

7.3 Produktpolitik

Aufgabe 174

Was bezeichnet der Begriff „Produktlebenszyklus"?

(1) das relative Alter eines Produktes
(2) das durchschnittliche Alter der Konsumenten, die dieses Produkt kaufen
(3) die Familienstruktur der Käufer, d. h. unverheiratet, verheiratet, verheiratet ohne Kinder, verheiratet mit kleinen Kindern, verheiratet mit älteren Kindern, im Ruhestand, verwitwet
(4) die Feststellung, ob das Produkt in diesem Jahr einen guten Markt finden wird oder nicht
(5) die Absatz- bzw. Umsatzentwicklung eines Produktes über einen variablen Zeitablauf

Aufgabe 175

Was kennzeichnet die Wachstumsphase im Produktlebenszyklus?

(1) hohe Gewinne, die jedoch nur langsam anwachsen
(2) einen durch hohe Werbekosten relativ niedrigen Umsatz
(3) stark steigender Gewinn und Umsatz
(4) das Hauptziel, die Kosten möglichst gering zu halten
(5) die Absetzung kleinerer Stückzahlen

Aufgabe 176

Welche der folgenden Funktionen war die ursprüngliche einzige Aufgabe einer Verpackung?

(1) Informationsfunktion
(2) Rationalisierungsfunktion
(3) Umweltschutzfunktion
(4) Werbe- und Verkaufsförderungsfunktion
(5) Schutz der Ware

Prozessorientierte Organisation von Großhandelsgeschäften

7.4 Sortimentspolitik

Aufgabe 177

Welche Definition über Diversifikation ist richtig?

(1) Bei der Diversifikation werden bestimmte Artikel und Sorten aus dem Sortiment gestrichen.

(2) Bei der Diversifikation werden zusätzliche Artikel und Sorten in das Sortiment aufgenommen.

(3) Diversifikation ist ein Verfahren, um die Sortimentsbreite zu verringern.

(4) Diversifikation ist die Aufnahme von Warengruppen, die mit den bisherigen keine oder nur geringe Verwandtschaft aufweisen.

(5) Diversifikation wird mit den Begriffen „Sortimentsbreite" und „Sortimentstiefe" beschrieben.

Aufgabe 178

Die Martin KG entschließt sich, Sportartikel künftig nicht mehr anzubieten. Wie nennt man diesen Prozess?

(1) Sortimentstiefe

(2) Diversifikation

(3) Sortimentserweiterung

(4) Sortimentsbreite

(5) Sortimentsbereinigung

Aufgabe 179

Die Martin KG nimmt Elektroartikel als neues Produkt in ihr Sortiment auf. Hierbei erfolgt eine Ausweitung des Warenangebotes auf ein Gebiet, auf dem die Martin KG bisher nicht tätig war.

Wie wird dieser Prozess genannt?

(1) Produktumgestaltung

(2) Sortimentsbereinigung

(3) Diversifikation

(4) Produktvariation

(5) Kernsortiment

Aufgabe 180

Die Martin KG erweitert ihr Kernsortiment um eine zusätzliche Warengruppe. Was kann hierfür ausschlaggebend sein?

(1) Die Martin KG führt eine Sortimentsbereinigung durch.
(2) Die Martin KG möchte damit die Produktgestaltung erweitern.
(3) Die Martin KG möchte damit die Lagerung der Waren vereinfachen.
(4) Die Martin KG möchte durch die Aufnahme neuer Warengruppen in das Kernsortiment die Stammkunden binden und neue Kunden hinzugewinnen.
(5) Der Martin KG wurde nahegelegt, den Sortimentsumfang zu überdenken.

7.5 Preispolitik

Aufgabe 181

Was umfasst die Konditionspolitik?

(1) alle Entscheidungen, die sich mit der Festsetzung des Preises beschäftigen
(2) Lieferungs- und Zahlungsbedingungen, die zwischen Verkäufer und Käufer vereinbart wurden
(3) alle Entscheidungen, die sich mit den Lieferbedingungen beschäftigen
(4) Preisbedingungen, die zwischen Verkäufer und Käufer vereinbart wurden
(5) alle Entscheidungen, die sich mit den Lieferungs- und Zahlungsbedingungen beschäftigen

Aufgabe 182

Wer oder was ist ein Ausgleichnehmer?

(1) ein Artikel, bei dem sich die Käufer sehr preisbewusst verhalten
(2) ein Artikel, bei dem sich die Kunden weniger preisbewusst verhalten
(3) ein Kunde, der sich bei allen Artikeln preisbewusst verhält
(4) ein Kunde, der sich bei allen Artikeln weniger preisbewusst verhält

(5) ein Käufer, der sich bei allen Sonderangebot-Artikeln preisbewusst verhält

Aufgabe 183
Welche Aussage über die mengenmäßige Preisdifferenzierung ist richtig?
(1) bei Abnahme größerer Mengen einer Ware wird ein günstiger Preis gewährt
(2) bei Abnahme kleinerer Mengen einer Ware wird ein günstiger Preis gewährt
(3) die gleiche Ware oder Dienstleistung wird zu verschiedenen Zeiten zu unterschiedlichen Preisen angeboten
(4) Angebot gleicher Waren und Dienstleistungen zu unterschiedlichen Preisen
(5) bei Abnahme kleinerer Mengen einer Ware wird ein höherer Preis gewährt

Aufgabe 184
Worum handelt es sich bei einem Rabatt?
(1) Preisnachlass für vorzeitige Zahlung
(2) nachträglich gewährter Preisnachlass nur in Form von Waren
(3) Preisnachlass, wenn der Kunde einen Mindestumsatz erreicht oder überschritten hat
(4) Nachlass von einheitlich festgelegten Bruttopreisen
(5) Nachlass von einheitlich festgelegten Nettopreisen

7.6 Distributionspolitik

Aufgabe 185
Was haben Kommissionär, Handelsmakler und Handelsvertreter gemeinsam?
a) Sie sind Angestellte.
b) Sie handeln im eigenen Namen für fremde Rechnung.
c) Sie handeln in fremden Namen für fremde Rechnung.

d) Sie sind selbstständige Kaufleute.
e) Sie erhalten eine Delkredereprovision.

Aufgabe 186

Wie nennt man die Vergütung, die ein Reisender neben der Provision erhält?

a) Reisekosten
b) Fixum
c) Nettolohn
d) Bruttogehalt
e) Beteiligung am Umsatz

Aufgabe 187

Was ist unter einem Handelsvertreter zu verstehen?

a) Er ist ein kaufmännischer Angestellter.
b) Er ist ein spezieller Kommissionär.
c) Er ist ein Gewerbetreibender.
d) Er ist selbstständiger Kaufmann, der im eigenen Namen und für fremde Rechnung Geschäfte abschließt.
e) Er ist Angestellter eines Unternehmens.

Aufgabe 188

Die Spindler KG steht vor der Entscheidung, ihre Waren mithilfe eines Handlungsreisenden bzw. Handelsvertreters abzusetzen. Der Handlungsreisende erhält ein Fixum von 36.000,00 € pro Jahr, zuzüglich 3 % Umsatzprovision. Der Handelsvertreter bekommt 12 % Umsatzprovision.

Bei welchem Jahresumsatz verursachen beide Absatzformen die gleichen Kosten in der Vergütung?

a) 500.000,00 €
b) 300.000,00 €
c) 350.000,00 €
d) 400.000,00 €
e) 420.000,00 €

7.7 Kommunikationspolitik

Aufgabe 189

Zur Einführung eines Artikels werden die Mitarbeiter der Martin KG geschult. Um welche Art der Kommunikationspolitik handelt es sich?

(1) Product-Placement
(2) Salespromotion
(3) Werbung
(4) Sponsoring
(5) Public Relations

Aufgabe 190

Was ist unter dem Begriff „Public Relations" zu verstehen?

(1) alle Maßnahmen des Großhändlers, die seine Absatzbemühungen unterstützen
(2) Veröffentlichungen über das Verhalten der Konkurrenz
(3) Beeinflussung des Umworbenen, ohne dass die Werbung bewusst wahrgenommen wird
(4) Öffentlichkeitsarbeit zur Hebung des Ansehens des eigenen Unternehmens
(5) irreführende Werbung

Aufgabe 191

Ordnen Sie den Begriffen die richtige Erklärung zu.

a) Public Relations
b) Absatzwerbung
c) Human Relations
d) Salespromotion
e) Persönlicher Verkauf
f) Direktwerbung
g) Product-Placement
h) Sponsoring

   (1) Bewusste Integration von Waren und Dienstleistungen in Kinofilme oder Fernsehsendungen.

(2) Personen oder Institutionen werden unterstützt und gewähren dem Unternehmen dafür bestimmte absatzfördernde Gegenleistungen (z. B. Werbemöglichkeiten).

(3) Auch Öffentlichkeitsarbeit genannt: positive Darstellung des Unternehmens (nicht der Produkte).

(4) Käuferbeeinflussung, die sich an alle potenziellen und anonymen Kunden richtet. Sie findet in räumlicher Entfernung vom Verkaufsort statt: Der Kunde soll zur Ware gebracht werden.

(5) Pflege zwischenmenschlicher Beziehungen innerhalb eines Unternehmens zur Absatzförderung.

(6) Professionell durchgeführte persönliche Beratungsgespräche bei Artikeln mit hohem Erklärungsbedarf sind absatzfördernd.

(7) Auch Verkaufsförderung genannt: Den am Absatz Beteiligten wird – in der Regel in der Verkaufsstätte – (durch Aktionen) das Verkaufen erleichtert. Die Ware wird zum Kunden gebracht.

(8) Direkte individuelle Ansprache von (bekannten) Zielpersonen.

7.8 Werbung

Aufgabe 192

Die Martin KG sucht geeignete Werbeträger.

Welche Begriffsgruppe benennt ausschließlich Werbeträger?

(1) Litfaßsäule, Hörfunk, Kino
(2) Plakat, Hauswand, Autos
(3) Internet-Anzeige, Kino, Telefonzellen
(4) Werbedurchsage, Fachzeitschrift, Plakat
(5) Zeitungsanzeige, Internet-Anzeige, Straßenbahn

Aufgabe 193

Ein Angestellter der Martin KG sieht einen Werbespot, in dem für „extrem sparsame ökologische Autos" geworben wird. Bei diesem Werbespot wird keine Firma (namentlich) genannt.

Um welche Art der Werbung handelt es sich?

(1) Massenwerbung
(2) Einzelwerbung
(3) Sammelwerbung
(4) Gemeinschaftswerbung
(5) Alleinwerbung

Aufgabe 194

Ordnen Sie jedem Begriff die richtige Fragestellung zu.

a) Streugebiet
b) Streukreis
c) Streuzeit

   (1) Welche Wirkung soll erzielt werden?
   (2) Wie viel Geld steht für die Werbung zur Verfügung?
   (3) Wer soll mit der Werbung angesprochen werden?
   (4) Wo soll geworben werden?
   (5) Womit soll geworben werden?
   (6) Wie können die Werbeziele umgesetzt werden, sodass sie von der Zielgruppe verstanden werden?
   (7) Wann soll mit der Werbekampagne begonnen werden und wie lange soll sie laufen?

Aufgabe 195

Wie erfolgt die Ermittlung des ökonomischen Werbeerfolgs?

(1) Gesamtumsatz / gesamte Werbekosten
(2) Gesamterträge / Werbekosten für die Werbeaktion
(3) Reingewinn / gesamte Werbekosten
(4) Wareneinsatz / Werbekosten für die Werbeaktion
(5) Umsatzsteigerung / Werbekosten für die Werbeaktion

7.9 Das Marketingkonzept

Aufgabe 196

Was versteht man unter dem Marketing-Mix.

Aufgabe 197
Erläutern Sie kurz, was ein Marketingkonzept ist.

7.10 Gesetz gegen den unlauteren Wettbewerb

Aufgabe 198
Was ist das Ziel des Gesetzes gegen den unlauteren Wettbewerb (UWG)?

Aufgabe 199
Erläutern Sie die Generalklausel des UWG?

Aufgabe 200
Welche Aussagen macht das UWG noch?

8 Kundenkommunikation

8.1 Das Kundenbeziehungsmanagement

Aufgabe 201
Welche Begriffe verbergen sich hinter den folgenden Erklärungen?

a) Hierunter versteht man produktbegleitende Dienstleistungen, die ein Kunde nach Abschluss des Kaufvertrags in Anspruch nehmen kann.
b) Wird eingesetzt, um den positiven Ausbau der geschäftlichen Beziehungen zu Kunden um eine anhaltende und stabile Partnerschaft zu gewährleisten.
c) Umfassen alle Maßnahmen, die der Gewährleistung oder Wiederherstellung der einwandfreien Funktion einer Ware dienen.
d) Umfassen Beratungs- und Zustellungsdienste sowie Gefälligkeiten aller Art, individuelles Entgegenkommen und Hilfsbereitschaft in vielfaltigen Ausprägungen.
e) Briefe, Postwurfsendungen, E-Mails und SMS sind wichtige Bestandteile welches Instruments?

f) Eine Karte, mit der die Kunden an ein Unternehmen gebunden werden sollen.

g) Hierdurch bemühen sich Unternehmen, ihren Kunden das Bewusstsein zu vermitteln ganz besonders vorteilhaft behandelt zu werden. Dies ist eine durch ein, manchmal auch durch mehrere, Unternehmen organisierte Vereinigung von tatsächlichen oder potenziellen Kunden.

h) Umfang, Form und Erscheinungsweise dieses Marketinginstruments unterscheiden sich stark. Die Spanne reicht von acht Seiten im Tageszeitungsformat bis zu über 80 Seiten als vierfarbiges Hochglanzmagazin.

i) Dies ist ein gutes Kundenbindungsinstrument und stellt einen Gutschein bzw. eine Bezugsberechtigung dar.

Aufgabe 202
Unterscheiden Sie warenbezogene von nicht warenbezogenen Dienstleistungen.

8.2 Einbeziehung der Kundenstruktur ins Marketing

Aufgabe 203
Welches Ziel verfolgt die Marktsegmentierung?

(1) neue Produkte und Güter in das Warensortiment aufnehmen, um so das Angebot für die Kunden zu vergrößern

(2) Kostensenkung durch Kürzung der Löhne und Gehälter

(3) ins Ausland expandieren, um größtmöglichen Gewinn zu erzielen

(4) Aufteilung des Gesamtmarktes in einheitliche Käufergruppen, um so eine bestmögliche Marktbearbeitung zu gewährleisten

(5) Verkäufermärkte langfristig in Käufermärkte umzuwandeln

Aufgabe 204
Was versteht man unter Kundenselektion?

8.3 Der Onlineauftritt eines Großhandelsunternehmens

Aufgabe 205

Vervollständigen Sie den folgenden Text um die Begriffe.

> Benutzerfreundlichkeit – Besucher – Käufer – Kaufabwicklung – Kaufprozess – komfortable Bedienung – Konversionsrate – Usability

Ein Webshop wird von vielen Besuchern im Internet aufgesucht. Die meisten verlassen den Shop aber mehr oder weniger schnell, ohne dort tatsächlich etwas zu bestellen. Die Kunden brechen den möglichen _____ oft während des Anschauens des Sortiments oder während der späteren _____ ab. Um die Kaufabbrüche besser überwachen und schließlich mit verschiedenen Maßnahmen verringern zu können, sollte ein Unternehmen die _____ berechnen. Diese gibt an, wie viele Besucher einer Internetseite zu Käufern werden. Berechnet wird sie (in der einfachsten Form) folgendermaßen:

Konversionsrate = _____ / _____ · 100

Eine entscheidende Rolle beim Erfolg eines Webshops kommt der _____ zu. Darunter versteht man die _____ einer Internetseite. Oft wird im Zusammenhang davon auch von „Gebrauchstauglichkeit" gesprochen. Dazu gehören sämtliche Maßnahmen und Eigenschaften von Webseiten, die den Besuchern auch ohne größere Erfahrungen oder ohne das Studium umfassender Anleitungen eine _____ ermöglichen.

Aufgabe 206

Ein Unternehmen hat 200 000 Besucher im Webshop. Es kommt zu 4 000 Verkaufsabschlüssen. Berechnen Sie die Konversionsrate.

8.4 Onlinemarketing

Aufgabe 207

Ordnen Sie jedem Begriff die passende Erläuterung zu.

a) Webshop
b) Verkaufsplattform (B2B-Marktplatz)
c) Online-Branchenbücher
d) Auktionsplattformen
e) Subshops
f) SEA
g) E-Mail-Marketing
h) Virales Marketing
i) SEO
j) Affiliate Marketing

   (1) Social-Media-Marketing
   (2) Einsatz von sozialen Netzwerken im Internet zu Umsatz- und Absatzsteigerungen
   (3) Der Betreiber einer Internetseite empfiehlt die Internetseite eines anderen Anbieters.
   (4) Grundlage jeder Verkaufsaktivität im Internet: Hier sollen Kunden Kaufverträge direkt beim Unternehmen abschließen.
   (5) Vom Betreiber werden unter einer Internetadresse verschiedene Angebote (zum Beispiel von verschiedenen Anbietern) zusammengefasst.
   (6) Verzeichnisse oder Kataloge, in die sich ein Unternehmen eintragen kann
   (7) Hier finden Versteigerungen statt.
   (8) Im Frontend treten gegenüber den Kunden unterschiedliche Shops auf. Diese haben aber alle ein gemeinsames Backend (Administrationsoberfläche).
   (9) Suchmaschinenwerbung
   (10) Kunden werden über Newsletter über neue Angebote informiert.

(11) gezieltes Auslösen und Kontrollieren von Mundpropaganda im Internet

(12) Suchmaschinenoptimierung

9 Verkaufsplanung

9.1 Die Preisgestaltung

Aufgabe 208
Unterscheiden Sie nettopreisbezogene und bruttopreisbezogene Preisstellungssysteme.

Aufgabe 209
Unterscheiden Sie die verschiedenen Formen der Preisdifferenzierung.

9.2 Die Kalkulation von Verkaufspreisen

Aufgabe 210
Ein Abteilungsleiter gibt einer Auszubildenden ein Arbeitsauftrag: „Ich habe hier ein Angebot der Firma Francesco Benigni vorliegen ... Eine sehr interessante Sache. Sie bietet uns einen italienischen Designeranzug für einen Bezugspreis von 300,00 € das Stück an. Wir haben uns entschieden, eine größere Menge zu bestellen. Es muss jetzt nur noch der Verkaufspreis ermittelt werden. Das könnten Sie übernehmen. Wir haben in dieser Warengruppe einen Handlungskostenzuschlag von 50 % errechnet. Und dann gibt es noch einen Gewinnzuschlag von 20 %. Berücksichtigt werden muss noch die Möglichkeit eines 25-prozentigen Kundenrabatts und eines 2-prozentigen Kundenskontos."

Berechnen Sie den Listenverkaufspreis netto.

Aufgabe 211
In einer Warengruppe wird mit einem Handlungskostenzuschlag von 30 % und einem Gewinnzuschlag von 20 % gerechnet. Einkalkuliert werden müssen 20 % Kundenrabatt und 2 % Kundenskonto.

a) *Berechnen Sie den Kalkulationszuschlag.*

b) *Berechnen Sie mithilfe des Kalkulationszuschlags den Listenverkaufspreis netto für einen Artikel, der den Bezugspreis von 20,00 € hat.*

10 Kaufvertragsrecht

10.1 Der Abschluss von Verträgen

Aufgabe 212
Was sind Rechtsgeschäfte?

Aufgabe 213
Unterscheiden Sie einseitige von mehrseitigen Rechtsgeschäften.

Aufgabe 214
Was versteht man unter Vertragsfreiheit?

10.2 Anfechtung und Nichtigkeit von Verträgen

Aufgabe 215
Die Rechtsgültigkeit von Rechtsgeschäften kann eingeschränkt werden bei Vorliegen von Gründen für die Anfechtung oder Nichtigkeit.
a) Welche Auswirkung hat die Nichtigkeit einer Willenserklärung für die Gültigkeit eines Rechtsgeschäfts?
b) Nennen Sie Gründe für die Nichtigkeit von Willenserklärungen.
c) Welche Auswirkungen hat die Anfechtbarkeit einer Willenserklärung für die Gültigkeit eines Rechtsgeschäfts?
d) Nennen Sie Gründe für die Anfechtung von Willenserklärungen.

Aufgabe 216
Beurteilen Sie die Rechtsgültigkeit der folgenden Fälle
a) Eine Ware, die 198,00 € kostet, wird irrtümlich mit 189,00 € angeboten.
b) Ein Kunsthändler verkauft die Kopie eines Bildes als Original.

c) Der sechzehnjährige Frank Schrader kommt stolz mit einem Motorrad nach Hause. Er hat es für 1.250,00 € gekauft. Den Kaufpreis will er in zehn Raten abbezahlen. Sein Vater ist nicht einverstanden und verlangt, dass er das Motorrad zurückbringt.
d) Ein Druckereibesitzer schließt den Kauf über ein Grundstück mündlich ab.
e) Ein Großhändler verrechnet sich bei der Ermittlung des Verkaufspreises für eine Ware. Irrtümlich berechnet er 28,50 € anstatt 32,60 €.
f) Der Kaufpreis eines Hauses war doppelt so hoch wie der durch ein späteres Gutachten ermittelte Wert.

10.3 Rechtsfähigkeit und Geschäftsfähigkeit

Aufgabe 217

§ 1 BGB regelt die Rechtsfähigkeit.
Welche der folgenden Aussagen ist richtig?

(1) Wer rechtsfähig ist, ist auch volljährig.

(2) Wer rechtsfähig ist, ist auch geschäftsfähig.

(3) Jeder Mensch kann ohne Einschränkungen Verträge abschließen.

(4) Jeder Mensch ist Träger von Rechten und Pflichten.

(5) Nur Rechtsanwälte und Notare sind rechtsfähig.

Aufgabe 218

Welche der folgenden Aussagen ist richtig?
Die Rechtsfähigkeit des Menschen beginnt mit ...

(1) Vollendung der Geburt.

(2) 7 Jahren.

(3) 18 Jahren.

(4) 16 Jahren.

(5) 6 Jahren.

Aufgabe 219

Welche der folgenden Aussagen ist richtig?
Die Rechtsfähigkeit natürlicher Personen endet mit ...

(1) der Aberkennung der bürgerlichen Ehrenrechte.
(2) der Entmündigung aufgrund von Geisteskrankheit.
(3) der Anordnung einer Pflegschaft aufgrund sehr hohen Alters.
(4) dem Tod.
(5) Betreten eines Gerichts.

Aufgabe 220
Welche der folgenden Definitionen zur „Geschäftsfähigkeit" ist richtig?
(1) Fähigkeit einer Person, Träger von Rechten und Pflichten zu sein
(2) Fähigkeit einer Person, Rechtsgeschäfte rechtswirksam abzuschließen
(3) Fähigkeit einer Person, rechtsgültige Kreditgeschäfte abzuschließen
(4) Fähigkeit einer Person, gewerbsmäßig die Lagerung von fremden Gütern zu übernehmen
(5) Fähigkeit einer Person, die Versendung von Gütern durch Frachtführer zu besorgen

10.4 Erfüllungsort und Gerichtsstand

Aufgabe 221
Was ist ein Erfüllungsort?

Aufgabe 222
Erläutern Sie die gesetzliche Regelung für den Erfüllungsort.

Aufgabe 223
Was ist ein vertraglicher Erfüllungsort?

Aufgabe 224
Führen Sie kurz die Bedeutung des Begriffs „Gerichtsstand" aus.

Aufgabe 225
Die Center Großhandels-GmbH Köln hat wiederholt von einem Industriebetrieb in Hamburg Lederwaren mit großer Verzögerung erhalten. Diesmal ist sie so verärgert, dass sie eine Klage auf Schadenersatz in

Höhe von 1.200,00 € erwägt. Zu Erfüllungsort und Gerichtsstand wurden keine Vereinbarungen getroffen.

Welche Antwort ist richtig?

a) Zuständig wäre auf jeden Fall ein Gericht in Köln, weil der Center Großhandels-GmbH der Weg bis zum Hamburger Gericht nicht zumutbar wäre, zumal allein der Industriebetrieb Lieferverzögerungen verschuldet hat.
b) Zuständig wäre ein Gericht in Hamburg, weil der Erfüllungsort für Ware dort liegt und der Gerichtsstand sich im Zweifel nach dem Erfüllungsort richtet.
c) Bei der Höhe des Streitwerts wäre das Landgericht am Gerichtsstand zuständig.

10.5 Der Lieferungsverzug

Aufgabe 226
Was ist ein Lieferungsverzug (Nicht-rechtzeitig-Lieferung)?

Aufgabe 227
Führen Sie Voraussetzungen für eine Nicht-rechtzeitig-Lieferung auf.

Aufgabe 228
Welche Rechte hat der Käufer beim Lieferungsverzug?

10.6 Die Schlechtleistung

Aufgabe 229
Welche Mangelart liegt vor?

a) Eigenschaften der Ware sind nach öffentlichen Äußerungen des Verkäufers nicht vorhanden.
b) Bei diesem Mangel wird eine andere Ware als bestellt geliefert.
c) Bei diesem Mangel verheimlicht der Verkäufer dem Käufer einen versteckten Mangel absichtlich.
d) Beim Übergang der Ware ist für den Käufer deutlich erkennbar, dass die Ware einen Mangel hat.

e) Die Ware ist zwar einwandfrei, erfüllt jedoch nicht vertraglich zugesicherte Eigenschaften.
f) Dieser Mangel liegt vor, wenn die Ware fehlerhaft ist. Die Ware ist ganz oder teilweise beschädigt. Sie entspricht also nicht der vertraglich vereinbarten Beschaffenheit.
g) Es fehlt eine Montageanleitung oder diese hat Fehler, sodass es zu einer falschen Montage durch den Käufer kommt.
h) Dieser Mangel liegt vor, wenn Dritte im Hinblick auf die Ware Rechtsansprüche stellen können, ohne dass dies beim Kauf vereinbart wurde.
i) Wird etwas unsachgemäß durch den Verkäufer montiert, liegt dieser Mangel vor.
j) Hier liegt eine nicht vollständige Warenlieferung vor.
k) Diese Mangelart liegt vor, wenn trotz einer gewissenhaften Überprüfung der Ware der Mangel zunächst nicht erkennbar ist.

Aufgabe 230

Wie sind die Rügefristen bei einem „zweiseitigen Handelskauf", wenn ein offener Mangel vorliegt?

(1) beim nächsten Einkauf
(2) beim nächsten Vertreterbesuch
(3) nach einer Woche
(4) unverzüglich
(5) keine Rügefrist, da es sich um einen „zweiseitigen Handelskauf" handelt

Aufgabe 231

Was versteht man unter einem „einseitigen Handelskauf"?

(1) Haftung erfolgt nach vorheriger Absprache nur vom Verkäufer oder Käufer (einseitig)
(2) Verkäufer und Käufer sind Privatleute.
(3) Verkäufer und Käufer sind Unternehmer (Kaufleute nach HGB).
(4) Der Verkäufer ist Unternehmer, der Käufer ist eine Privatperson.
(5) Die Gefahr über Verlust, Beschädigung usw. der Ware trägt nur der Verkäufer, der Käufer ist davon befreit.

Aufgabe 232

Was muss bei einem „einseitigen Handelskauf" bei einem Verbrauchsgüterverkauf beachtet werden?

(1) Rügefrist beträgt 2 Jahre, nach 6 Monaten erfolgt eine Beweislastumkehr

(2) keine Rügefrist

(3) Rügefrist beträgt 3 Jahre, nach 6 Monaten erfolgt eine Beweislastumkehr

(4) Rügefrist beträgt 2 Jahre, keine Beweislastumkehr

(5) keine Ansprüche bei Schlechtleistung

Aufgabe 233

Welche zwei vorrangigen Rechte hat der Käufer bei einer mangelhaften Lieferung?

(1) Nachbesserung

(2) Rücktritt vom Vertrag

(3) Minderung des Kaufpreises

(4) Schadensersatz neben Leistung

(5) Neulieferung

Aufgabe 234

Bei einer Weinlieferung wird in einer Lebensmittelgroßhandlung festgestellt, dass einige Kartons an der Unterseite durchnässt sind.

Wie bezeichnet man diesen Mangel?

(1) versteckter (verdeckter) Mangel

(2) offener Mangel

(3) arglistig verschwiegener Mangel

(4) kein Mangel, da dies auf dem Transport passieren kann

(5) Rechtsmangel

Aufgabe 235

Geben Sie an, welche dieser Rechte zu den nachrangigen Rechten bei der mangelhaften Lieferung gehören (mehrere Antworten möglich).

(1) Nachbesserung

(2) Preisnachlass

(3) Rücktritt vom Vertrag
(4) Schadensersatz statt Leistung
(5) Schadensersatz für den Frachtführer
(6) Neulieferung

10.7 Die Bearbeitung von Reklamationen und Retouren

Aufgabe 236
Erklären Sie die folgenden Begriffe.
a) Lieferschein
b) Retourenschein
c) Kommissionierung
d) Refurbishing
e) Umtausch
f) Garantie
g) Gewährleistung
h) Retourenquote
i) Stornoquote

Aufgabe 237
Was ist bei Kundenreklamationen zu beachten?

10.8 Der Annahmeverzug

Aufgabe 238
Was ist ein Annahmeverzug?

Aufgabe 239
Führen Sie Voraussetzungen für den Annahmeverzug auf.

Aufgabe 240
Welche Rechte hat der Verkäufer bei einem Annahmeverzug?

10.9 Die Allgemeinen Geschäftsbedingungen

Aufgabe 241
Was sind AGB (Allgemeine Geschäftsbedingungen)?

Aufgabe 242
Wozu dienen AGB?

Aufgabe 243
Führen Sie kurz Bestimmungen des AGB-Gesetzes auf.

10.10 Kaufvertragsarten

Aufgabe 244
Erläutern Sie die folgenden Kaufvertragsarten.
a) Kauf auf Probe
b) Kauf nach Probe
c) Kauf zur Probe
d) Gattungskauf
e) Stückkauf
f) Terminkauf
g) Fixkauf
h) Kauf auf Abruf
i) Kauf gegen Anzahlung
j) Bestimmungskauf
k) Zielkauf

Aufgabe 245
Ordnen Sie den Fällen die Kaufvertragsart zu.
a) Ein 20-jähriger Azubi kauft einen Gebrauchtwagen beim Händler.
b) Eine Unternehmerin kauft für ihre Tochter eine Filmkamera bei einem Fotohändler.
c) Ben Morero benötigt einen A3-Drucker. Sein Onkel veräußert ihm seinen kürzlich erworbenen Drucker.

d) Ein Einzelhandelskaufmann schließt mit seinem Freund einen Kaufvertrag über zwei Handbälle ab.
e) Eine Großhandlung verkauft Spanplatten an eine Tischlerei.

   (1) bürgerlicher Kauf
   (2) einseitiger Handelskauf
   (3) zweiseitiger Handelskauf

Aufgabe 246

Die Jansen KG kauft bei einem Industrieunternehmen zunächst lediglich eine geringe Menge, um sie zu testen.
Um welche Kaufvertragsart handelt es sich?

(1) Kauf auf Probe
(2) Kauf nach Probe
(3) Kauf zur Probe
(4) Gattungskauf
(5) Stückkauf

11 Außenhandel

Aufgabe 247

Ordnen Sie den folgenden Begriffen die Bedeutung richtig zu.

a) Handelsrechnung (Handelsfaktura)
b) Ursprungszeugnis
c) Warenverkehrsbescheinigung
d) Konnossement (Bill of Landing)
e) Ladeschein
f) Internationaler Eisenbahnfrachtbrief (CIM)
g) Internationaler Frachtbrief im Straßengüterverkehr (CMR)

   (1) Dieses Dokument muss vom Versender in fünffacher Ausfertigung ausgestellt werden.
   (2) Dieses Dokument des gewerblichen Güterkraftverkehrs muss vom Absender ausgefüllt werden. Wie beim Eisenbahnfrachtbrief hat auch hier der Absender ein nachträgliches Verfügungsrecht, wenn er sein Exemplar des Frachtbriefs vorlegt.

(3) Dieses Dokument dient nicht nur der Rechnungsstellung, sondern auch als Unterlage für die zollamtliche Behandlung im Einfuhrland.

(4) Dieses Schriftstück bezeichnet die Herkunft der Ware.

(5) Dieses Dokument ist eine Erklärung, dass die Ware in einem EU-Land hergestellt wurde oder in der EU zollamtlich zum freien Verkehr freigegeben ist. Die Erklärung ist auf dem Formular EUR.1 abzugeben. Das Dokument wird im Verkehr mit Ländern verwendet, die ein Präferenz-, Freihandels- oder ein besonderes Handelsabkommen mit der EU geschlossen haben.

(6) Grundlage für die Ausstellung dieses Dokuments ist ein Seefrachtvertrag. Der Seefrachtvertrag wird zwischen dem Befrachter (shipper) und dem Verfrachter (carrier) zugunsten eines Empfängers abgeschlossen.

(7) Dieses Dokument ist das Konnossement des Binnenschifffahrtsverkehrs. Er wird vom Frachtführer ausgestellt. Er verschafft wie das Konnossement bei Seeverkehr dem rechtmäßigen Eigentümer das Eigentum am Verladegut.

Aufgabe 248

Erläutern Sie kurz die folgenden Zahlungsbedingungen im Außenhandel.

a) offenes Zahlungsziel
b) Dokumente gegen Akzept (d/a)
c) Dokumente gegen Kasse (d/p)
d) Dokumentenakkreditiv
e) Vorauszahlung

Aufgabe 249

Was versteht man jeweils unter den folgenden Risiken im Außenhandel?

a) Marktrisiko
b) Transportrisiko
c) Annahmerisiko
d) Transferrisiko
e) Preisrisiko

f) Wechselkursrisiko
g) Kreditrisiko
h) Konvertierungsrisiko
i) Moratoriumsrisiko
j) Politisches Risiko im engeren Sinne
k) Zahlungsverbotsrisiko

Aufgabe 250

Die Herschel KG exportiert Waren ins Ausland.

Entscheiden Sie, welche der angegebenen Risiken auftreten können. (2 richtige Antworten)

a) Transportrisiko
b) Leasingrisiko
c) Urlaubsrisiko
d) Annahmerisiko
e) Trendrisiko

Aufgabe 251

Welches Merkmal trifft nicht auf das Dokumentenakkreditiv zu?

a) Es ermöglicht ein „Zug-um-Zug-Geschäft".
b) Das abstrakte Schuldversprechen einer oder zweier Banken sichert den Exporteur ab.
c) Es garantiert die Sicherstellung einer mangelfreien Lieferung.
d) Das Akkreditiv ist immer unwiderruflich.

Aufgabe 252

Welche der genannten Zahlungsbedingungen dient als Risikominderung im Außenhandel?

a) Zahlung in der eigenen Währung
b) Scheck
c) Barzahlung
d) Zahlung aus einem Dokumentenakkreditiv

Außenhandel

Aufgabe 253

Was ist ein Transferverbot?

a) Die Einfuhr von Waren im Einfuhrland ist nicht erlaubt.
b) Die Überweisung des ausländischen Käufers an den Exporteur wird hinausgezögert oder nicht genehmigt.
c) Die Einfuhr bestimmter Waren, die auf der sogenannten Transferverbotsliste stehen, ist verboten.
d) Die Lieferung der Ware an den Importeur wird verzögert.

Aufgabe 254

Was beinhaltet die E-Klausel?

(1) Der Verkäufer organisiert und bezahlt den Haupt- und Nachlauf.
(2) Der Verkäufer organisiert den gesamten Transport. Er übernimmt die gesamten Kosten und Gefahren.
(3) Der Käufer organisiert und bezahlt den Haupt- und Nachlauf.
(4) Der Käufer übernimmt die Kosten ab der Einfuhr ins Importland.
(5) Der Käufer organisiert den gesamten Transport. Er übernimmt die gesamten Kosten und Gefahren.

Aufgabe 255

Was beinhaltet die C-Klausel?

(1) Der Verkäufer organisiert und bezahlt den Haupt- und Nachlauf.
(2) Der Käufer organisiert den gesamten Transport. Er übernimmt die gesamten Kosten.
(3) Der Käufer organisiert und bezahlt den Haupt- und Nachlauf.
(4) Der Verkäufer trägt die Haupttransportkosten. Das Transportrisiko trägt er jedoch nur bis zur Übergabe an den Frachtführer.
(5) Der Käufer übernimmt die Kosten ab der Einfuhr ins Importland.

Aufgabe 256

Ein Importeur in Hannover bestellt bei einem amerikanischen Lieferanten in Washington auf Lieferbasis FOB New York.

Wie sichert er sein Transportrisiko ab?

(1) Transportversicherung von Washington bis Hannover
(2) Transportversicherung von New York bis Hannover

(3) Transportversicherung von Washington bis Hamburg
(4) Transportversicherung von New York bis Hamburg
(5) Transportversicherung von Washington bis New York

Aufgabe 257

Bei welcher Lieferbedingung geht das Transportrisiko auf den Käufer über, sobald sich die Ware an Bord des Seeschiffes befindet, obwohl der Verkäufer die Seefracht trägt?

(1) CFR
(2) FCA
(3) DDP
(4) EXW
(5) FAS

Aufgabe 258

Welche Klausel laut Incoterms® ist für den Verkäufer am günstigsten?

(1) CFR
(2) DDU
(3) FOB
(4) FCA
(5) EXW

„Incoterms®" ist eine eingetragene Marke der Internationalen Handelskammer (ICC). Incoterms®2020 ist einschließlich aller seiner Teile urheberrechtlich geschützt. Die ICC ist Inhaberin der Urheberrechte an den Incoterms®2020. Bei den vorliegenden Ausführungen handelt es sich um inhaltliche Interpretationen zu den von der ICC herausgegebenen Lieferbedingungen durch die Autoren. Diese sind für den Inhalt, Formulierungen und Grafiken in dieser Veröffentlichung verantwortlich. Für die Nutzung der Incoterms® in einem Vertrag empfiehlt sich die Bezugnahme auf den Originaltext des Regelwerks. Dieser kann über ICC Germany unter www.iccgermany.de und www.incoterms2020.de bezogen werden.

D

WIRTSCHAFTS- UND SOZIALKUNDE

1 Bedürfnisse

Aufgabe 259

Ordnen Sie den Begriffen die Erklärungen richtig zu.

a) Existenzbedürfnisse
b) Kulturbedürfnisse
c) Luxusbedürfnisse
d) Individualbedürfnisse
e) Kollektiv-/Gemeinschaftsbedürfnisse
f) materielle Bedürfnisse
g) immaterielle Bedürfnisse

(1) Diese Bedürfnisse sind nicht gegenständlich, sondern geistig (z. B. Religion, Gesundheit, Sicherheit).

(2) Sie übersteigen die Existenz- und Kulturbedürfnisse und sind gekennzeichnet von einem exklusiven Lebensstil (z. B. teure Autos, besonderer Schmuck).

(3) Bedürfnisse, die von der Gemeinschaft für mehrere Menschen befriedigt werden (z. B. Schulen, Sicherheit, Straßen).

(4) Sie sind zur Lebenserhaltung notwendig (z. B. Hunger, Durst, Schlafen).

(5) Sie sind nicht lebensnotwendig. Sie entsprechen dem heutigen Lebensstil/der Lebensweise einer Kulturgesellschaft (z. B. Bildung, Theater, Bildungsreisen, Telefon, Fernsehen).

(6) Jede Person für sich hat eigene Bedürfnisse (z. B. Konsumgüter).

(7) Diese Bedürfnisse sind gegenständlich, d. h. greifbar (z. B. Auto, Nahrung).

Aufgabe 260
Erläutern Sie den Zusammenhang zwischen Bedürfnissen, Bedarf und Nachfrage.

2 Güter

Aufgabe 261
Was sind Güter?

Aufgabe 262
Unterscheiden Sie wirtschaftliche und freie Güter.

Aufgabe 263
Erläutern Sie kurz den Unterschied zwischen Verbrauchs- und Gebrauchsgütern.

3 Ökonomisches Prinzip

Aufgabe 264
Welche Aussage über das ökonomische Prinzip ist richtig?
(1) Es wird versucht, alle vier Ziele des magischen Vierecks zu erreichen.
(2) Es wird versucht, dass das Ausland keinen Einfluss auf die Volkswirtschaft hat.
(3) Es wird angestrebt, den Geldstrom in der Volkswirtschaft gegenüber dem Güterstrom zu vergrößern.
(4) Es wird versucht, vernünftig zu wirtschaften.

Aufgabe 265
Ein vorgegebenes Ziel soll mit möglichst geringen Mitteln erreicht werden.
Welches Prinzip liegt vor?

Aufgabe 266
Eine Auszubildende bekommt den Auftrag, Kopierpapier einzukaufen.
Welches Prinzip liegt vor?

Aufgabe 267

Für insgesamt 1.000,00 € soll eine Auszubildende möglichst viele Bleistifte kaufen.

Welches Prinzip liegt vor?

4 Märkte

Aufgabe 268

Was ist ein Markt?

Aufgabe 269

Erläutern Sie die Begriffe.

a) Polypol
b) Oligopol
c) Monopol

5 Konjunktur und Wirtschaftswachstum

Aufgabe 270

Was ist eine Konjunktur?

Aufgabe 271

Erläutern Sie kurz die Konjunkturphasen.

6 Aufgaben und Arten des Großhandels

Aufgabe 272

Was trifft auf den Aufkaufgroßhandel zu?

(1) Bezieht Güter in größeren Mengen von den Herstellern und verkauft sie in kleineren Mengen überwiegend an Einzelhändler und Handwerksbetriebe.
(2) Ist Mittler zwischen den verschiedenen aufeinanderfolgenden Stufen der gewerblichen Wirtschaft.
(3) Ist der für die Raumüberbrückungsfunktion zuständige Großhandel.

(4) Kauft von verschiedenen Herstellern Wirtschaftsgüter in kleinen Mengen, die gesammelt, umsortiert und anschließend in größeren Mengen an Betriebe der Weiterverarbeitung abgegeben werden.

(5) Ist für den Verkauf an Endverbraucher zuständig.

Aufgabe 273

Ordnen Sie jedem der folgenden drei Begriffe die richtige Definition zu.

a) Raumüberbrückung
b) Zeitüberbrückung
c) Markterschließung

Definitionen:

(1) Da er die Wünsche und Vorstellungen seiner Kunden kennt, kann der Großhändler die Hersteller über Nachfrage- und Bedarfsverschiebungen informieren.
(2) Der Großhandel erstellt ein passendes Warenangebot.
(3) Der Großhandel bietet Serviceleistungen an.
(4) Der Großhandel gleicht die Spanne zwischen Herstellung und Verbraucher durch Lagerung aus.
(5) Der Großhandel gleicht die räumliche Entfernung zwischen Hersteller und Konsumenten aus.
(6) Der Großhandel ist Vermittler zwischen Hersteller und Verbraucher

Aufgabe 274

Was ist ein Rackjobber?

(1) ein Großhändler, der dafür sorgt, dass Ware das Lager nicht berührt, sondern direkt vom Lieferer an die Kunden geliefert wird.
(2) ein Großhändler, der überwiegend im Außenhandel tätig ist
(3) ein Großhändler, der überwiegend ein breites Sortiment führt
(4) ein Großhändler, der überwiegend ein schmales Sortiment führt
(5) ein sogenannter Regalgroßhändler

Aufgabe 275

Wodurch ist der Sortimentsgroßhandel gekennzeichnet?

Aufgaben und Arten des Großhandels

(1) schmales Sortiment
(2) tiefes Sortiment
(3) breites Sortiment
(4) weltweite Aktivität
(5) Selbstbedienungssortiment

Aufgabe 276

Ordnen Sie den Begriffen die richtige Definition zu.

a) Sortimentsgroßhandel
b) Rackjobber
c) Spezialgroßhandel
d) Streckengroßhandel
e) Zustellgroßhandel
f) Abholgroßhandel
g) Cash & Carry-Großhandel
h) Binnengroßhandel
i) Außengroßhandel
j) Aufkaufgroßhandel
k) Produktionsverbindungsgroßhandel
l) Absatzgroßhandel

   (1) Die Kunden holen die Waren beim Großhändler selbst ab.
   (2) Sammelgroßhandel
   (3) Solche Unternehmen führen ein schmales, tiefes Sortiment.
   (4) Mittler zwischen zwei aufeinanderfolgenden Produktionsstufen
   (5) Dies sind die Großhändler ohne eigenes Lager.
   (6) Kauft in größeren Mengen von den Herstellern und verkauft in kleineren Mengen an Einzelhändler.
   (7) Nach Bestelleingang liefert der Großhändler die Waren mit eigenen oder fremden Transportmitteln aus.
   (8) wird oft auch Regalgroßhandlung genannt
   (9) Solche Unternehmen führen ein branchenübergreifendes breites Sortiment.
   (10) Anderes Wort für Abholgroßhandel.

(11) Betreibt Handelsgeschäfte mit Geschäftspartnern einer Volkswirtschaft.

(12) Betreibt Handelsgeschäfte, bei denen der Warenaustausch über nationale Grenzen hinweg stattfindet.

7 Rechtsformen

Aufgabe 277

Was trifft auf eine offene Handelsgesellschaft zu?

(1) Mindestens zwei Personen stellen Eigenkapital zur Verfügung.

(2) Der Gesellschafter der OHG heißt Komplementär.

(3) Die OHG handelt durch den Geschäftsführer.

(4) Unternehmensleitung und Mitgliedschaft in der offenen Handelsgesellschaft sind grundsätzlich getrennt.

(5) Die OHG hat ein Grundkapital von 25.000,00 €.

Aufgabe 278

In einer Rechtsform gibt es ein Mindestkapital von 25.000,00 €, das Stammkapital genannt wird. In einer Sonderform benötigt man als Gesellschafter sogar gar kein Kapital.

Welche Rechtsform liegt vor?

(1) Einzelunternehmen

(2) OHG

(3) KG

(4) GmbH

(5) Aktiengesellschaft

Aufgabe 279

In welcher Rechtsform tritt eine Kapitalgesellschaft als Komplementär auf?

(1) KG

(2) OHG

(3) stille Gesellschaft

(4) GmbH & Co. KG

(5) KGaA

Aufgabe 280

Finden Sie die passenden Begriffe zu den Erläuterungen.

a) Entstehen immer dann, wenn sich mindestens zwei Personen zur Erreichung eines genau bestimmten Zwecks zusammenschließen
b) Hier stehen die persönliche Mitarbeit und Haftung der Unternehmer im Vordergrund.
c) Das Verlustrisiko eines Teilhabers ist maximal auf seinen Anteil beschränkt.
d) Selbsthilfeorganisation, die auf der Solidarität der Mitglieder beruht.
e) Ein Unternehmen, dessen Eigenkapital von einer Person aufgebracht wird, die persönlich haftet.
f) Rechtsform von mindestens zwei Personen gegründet, die alle persönlich haften.
g) Rechtsform von mindestens zwei Personen gegründet, von denen mindestens eine persönlich haftet, die andere nicht.
h) Juristische Person mit Stammkapital
i) Unternehmen mit einem Vorstand
j) Personengesellschaft mit einer GmbH als Komplementär

8 Die Aufbauorganisation eines Großhandelsbetriebs

Aufgabe 281

Auf welches Weisungssystem trifft die folgende Anmerkung zu: „Der Vorteil dieses Leitungssystems liegt in den klaren Verantwortungsbereichen. Es gibt eine eindeutige Regelung der Weisungszuständigkeit. Als Nachteil gilt die starke Belastung der oberen Leitungsebenen, bei der alle Entscheidungen von Vorgesetzten getroffen werden müssen. Durch die langen Dienstwege ist dieses System für Anordnungen und Meldungen sehr schwerfällig."

(1) Einliniensystem
(2) Mehrliniensystem
(3) Stabliniensystem

(4) divisionale Organisation
(5) Matrixorganisation

Aufgabe 282

Was trifft auf das Mehrliniensystem zu?

(1) Genau wie im Stabliniensystem gibt es hier auch Stabsstellen.
(2) Alle Personen sind in einem einheitlichen Befehlsweg eingegliedert, der von der obersten Instanz bis zur letzten Arbeitskraft reicht.
(3) Dieses System wird häufig auch Spartenorganisation genannt.
(4) Ein Mitarbeiter kann von mehreren spezialisierten Vorgesetzten Anweisung erhalten.
(5) Hat der Spezialist im Mehrliniensystem eine direkte Gewinnverantwortung gegenüber der Unternehmensleitung, spricht man auch von einem Profitcenter.

Aufgabe 283

Welche Begriffe der Aufbauorganisation sind in den folgenden Fällen gemeint?

a) Aufgabenbereich einer Person (gleichzeitig kleinste organisatorische Einheit eines Unternehmens)
b) Stelle mit Anordnungs- und Entscheidungsbefugnissen
c) Festlegung der Betriebsstruktur
d) Beschreibung des Arbeitsplatzes
e) Zusammenfassung mehrerer Stellen unter einer Leitung
f) Jeder Mitarbeiter erhält nur von seinem unmittelbaren Vorgesetzten Anweisungen und berichtet auch nur an diesen.
g) Ein Mitarbeiter kann von mehreren Vorgesetzten Anweisungen erhalten.
h) Den oberen Leitungsstellen sind Spezialisten zugeordnet, die aber Mitarbeitern keine Anweisungen geben können.
i) Jeder Mitarbeiter hat einen produkt- und einen funktionsorientierten Vorgesetzten.
j) Dies ist keine beständige Organisationsstruktur, sondern besteht nur für die Dauer eines Vorhabens.

k) Auf der Ebene unterhalb der Unternehmensleitung erfolgt die Abteilungsbildung nach Objekten.

9 Zusammenarbeit des Großhandelsunternehmens mit anderen Institutionen

Aufgabe 284
Was ist eine Industrie- und Handelskammer?

Aufgabe 285
Wie sieht die Zusammenarbeit mit Arbeitgeberverbänden und Gewerkschaften aus?

10 Betriebliche Organisation

10.1 Die Berufsausbildung

Aufgabe 286
Welche der folgenden Aussagen sind richtig und welche falsch?

a) Auszubildende werden während ihrer Ausbildung an drei Lernorten ausgebildet.
b) In der Berufsschule werden den Auszubildenden allgemeinbildende und berufsbezogene theoretische Lerninhalte vermittelt.
c) Beim Blockunterricht besuchen die Auszubildenden einmal oder zweimal in der Woche die Berufsschule.
d) Unterrichtsinhalte der Berufsschulen sind durch Richtlinien der Kultusministerien vorgeschrieben.
e) Im Ausbildungsbetrieb findet die überwiegend praktische Ausbildung statt.
f) Ausbildungsinhalte sind durch den Ausbildungsrahmenplan vorgeschrieben.
g) Informationen über Inhalte sowie die zeitliche Gliederung der betrieblichen Berufsausbildung in einem staatlich anerkannten Ausbildungsberuf findet man im Rahmenlehrplan.

h) Im Ausbildungsbetrieb gibt es Unterricht in berufsbezogenen und allgemeinbildenden Unterrichtsfächern.

i) Die Ausbildungsordnung für den Ausbildungsberuf enthält das Ausbildungsberufsbild, den Ausbildungsrahmenplan, Angaben zur Ausbildungsdauer und zur Prüfung.

Aufgabe 287
Was ist in der Ausbildungsordnung festgehalten?

10.2 Der Arbeitsvertrag

Aufgabe 288
Erläutern Sie die folgenden Begriffe.

a) Gesetze
b) Rechtsverordnungen
c) Tarifverträge
d) Betriebsvereinbarungen
e) Arbeitspflicht
f) Verschwiegenheitspflicht
g) Verbot der Annahme von „Schmiergeldern"
h) gesetzliches Wettbewerbsverbot
i) nachvertragliches Wettbewerbsverbot
j) Vergütungspflicht
k) Beschäftigungspflicht
l) Urlaubsgewährungspflicht:
m) Fürsorgepflicht
n) Zeugnispflicht

Aufgabe 289
Welche Art Vertrag ist der Arbeitsvertrag?

10.3 Rechtliche Regelungen mit Auswirkungen auf den Arbeitsvertrag

Aufgabe 290
Geben Sie die wichtigsten Aussagen des Jugendarbeitsschutzgesetzes wieder.

Aufgabe 291
Unterscheiden Sie den Manteltarifvertrag vom Lohn- und Gehaltstarifvertrag.

Aufgabe 292
Erläutern Sie die Begriffe Tarifautonomie und Friedenspflicht.

Aufgabe 293
Was ist eine Betriebsvereinbarung?

10.4 Das Personalwesen

Aufgabe 294
Erläutern Sie kurz die folgenden Begriffe.

a) Personalwesen
b) Personalplanung
c) Personaleinsatzplanung
d) interne Beschaffungswege
e) externe Beschaffungswege
f) Personalverwaltung
g) Zeitlohn
h) Akkordlöhne
i) Stückakkordsatz = (Formel)

Aufgabe 295
Erläutern Sie den Unterschied zwischen einer qualitativen und einer quantitativen Personalbedarfsplanung.

Aufgabe 296

*Was wird **nicht** vom Bruttoentgelt abgezogen?*

(1) Mietkosten
(2) Sozialversicherungsbeiträge
(3) Lohnsteuer
(4) Kirchensteuer

Aufgabe 297

Was versteht man unter den folgenden Begriffen des Datenschutzes?

a) Zutrittskontrolle
b) Zugangskontrolle
c) Zugriffskontrolle
d) Weitergabekontrolle
e) Eingabekontrolle
f) Auftragskontrolle
g) Verfügbarkeitskontrolle
h) Trennungsgebot

Aufgabe 298

Erläutern Sie die

a) Bedeutung des Datenschutzes
b) Aufgabe des Datenschutzes
c) Bedeutung des Begriffs „Personenbezogene Daten"
d) Rechte der Betroffenen
e) Pflichten der Datenverarbeiter

10.5 Sicherheit im Betrieb

Aufgabe 299

Welche Verfahren der Datensicherung sind in den folgenden Fällen gemeint?

a) Unternehmen besitzen häufig zentrale Rechenzentren. Diese sind in der Regel mit Geräten ausgestattet, die bei Stromausfall die notwendige Energie erzeugen, um den Datenverarbeitungsbetrieb aufrechtzuerhalten.

b) Bestimmte Datenträger (z. B. SD-Karten) besitzen einen Schreibschutzschalter. Wird dieser in eine bestimmte Position gebracht, ist ein versehentliches Überschreiben von Daten nicht möglich.

c) Dies ist ein zusätzlicher Computer, der bei Ausfall der eigentlichen EDV-Anlage deren Aufgaben wahrnimmt. Im Notfall wird automatisch umgeschaltet, sodass Gesamtausfälle vermieden werden können.

d) Jeder Computer sollte mit einem Schloss versehen sein, damit die Inbetriebnahme nur Schlüsselbesitzern möglich ist. Für die zum Computereinsatz gehörenden Arbeitsmittel (z. B. DVDs, Formulare, Belege, Listen, Protokolle usw.) sollte ein Safe zur Verfügung stehen, der feuer-, diebstahl-, wasser- und explosionssicher ist.

e) Dies ist eine spezielle Magnetbandeinheit, die größere Datenmengen sehr schnell aufnehmen bzw. wieder abgeben kann. So können Datenbestände regelmäßig schnell und sicher auf Magnetbändern bzw. Magnetbandkassetten gesichert werden.

f) Sicherheitsschlösser, Sicherheitsverglasungen und Alarmanlagen sind geeignete Schutzmaßnahmen für die Räume, in denen sich EDV-Anlagen befinden.

g) Zur Sicherung von Datenbeständen sollten Unternehmen drei Generationen von Datenträgern aufbewahren. Dieses „Großvater-Vater-Sohn-Prinzip" gewährleistet, dass bei täglicher Verarbeitung grundsätzlich die Daten der beiden vorhergehenden Tage noch als Sicherheiten zur Verfügung stehen.

h) Zur Datensicherung besteht auch die Möglichkeit, sämtliche Vorgänge, die in der EDV-Anlage ablaufen, in einer besonderen Datei zu speichern. Sämtliche Tätigkeiten, die mit der EDV-Anlage vorgenommen werden, können so überwacht werden.

D Wirtschafts- und Sozialkunde

i) Hierdurch kann das Unternehmen sicherstellen, dass die Beschäftigten fehlerfrei und ordnungsgemäß die EDV bedienen können.

j) Es ist darauf zu achten, dass alle Aufgaben in der Datenverarbeitung von mehr als einer Person durchgeführt werden können, damit das Unternehmen nicht von einzelnen Personen mit Spezialkenntnissen abhängig wird.

k) Besonders kritische Vorgänge können geschützt werden, indem vor der Ausführung die Eingabe – und damit Zustimmung – einer zweiten Person verlangt wird.

l) Diese prüfen, ob eingegebene Daten in der Wirklichkeit überhaupt vorkommen können. Wird beispielsweise als Tageszahl der 32. genannt, wird der Anwender automatisch auf diesen Fehler hingewiesen.

m) Der Zugang zu Anwenderprogrammen oder auch zum Betriebssystem sollte durch Kennwörter gesichert werden. Dadurch wird verhindert, dass Unbefugte mit dem System arbeiten können. Kennwörter müssen verdeckt eingegeben werden können.

n) Die einzelnen Mitarbeiter werden mit unterschiedlichen Autorisationsgraden ausgestattet: Einige Mitarbeiter dürfen mit allen Unterprogrammen arbeiten, andere dürfen nur bestimmte – nicht sicherheitsgefährdende – Tätigkeiten am Computer vornehmen. Für jeden Mitarbeiter werden also nicht nur Passwörter gespeichert, sondern auch, wozu er im Einzelnen am Computer berechtigt ist.

o) Bestimmte Programme ermöglichen es, Dateien zu verstecken. Diese werden nicht im Inhaltsverzeichnis ausgegeben und können daher nur von Personen, die von der Existenz der Dateien wissen, bearbeitet werden. In vielen Fällen werden Dateien auch „read only" gestellt: Die Datei kann aus Sicherheitsgründen nur gelesen, aber nicht verändert werden.

p) Sehr wichtige Daten, die auf externen Speichern aufbewahrt werden, können mithilfe geeigneter Programme verschlüsselt werden. Dadurch wird es Unbefugten zumindest erschwert, Daten zu lesen oder zu verändern. Die Verschlüsselung ist mit einem gewissen Zeitverlust verbunden, den man aber bei wichtigen Informationen in Kauf nehmen sollte.

q) Dieses Verfahren dient dazu, fehlerhafte Angaben bei der Erfassung oder Übermittlung numerischer Daten zu entdecken.

Sicherheit im Betrieb

Aufgabe 300
Geben Sie mindestens acht Maßnahmen an, die die Sicherheit im Lager unterstützen.

Aufgabe 301
Wie sollte man sich im Brandfall richtig verhalten?

Aufgabe 302
Richtig oder falsch? Beurteilen Sie die folgenden Situationen.

a) Im Lager der Novonot GmbH ist ein Brand entstanden. Frauke Schröder greift den Brand mit einem Feuerlöscher in Windrichtung an.
b) Frauke Schröder bekommt nacheinander zwei weitere Feuerlöscher von zwei Kollegen gereicht, um den Brand weiter zu löschen.
c) Bei einem Tropfbrand im Lager der Eggeling OHG wird von unten nach oben gelöscht.
d) Ein Wandbrand in der Bauer GmbH wird von unten nach oben gelöscht.

Aufgabe 303
Mete Öczan lagert gerade Ware im Lager ein. Er entdeckt plötzlich ein Feuer, das durch ein verschmortes Kabel entstanden ist.

Welche Maßnahme ist richtig, welche falsch?

a) Mete Öczan löst Feueralarm aus, indem er einen Feuermelder einschlägt.
b) Mit einem Wassereimer löscht Mete Öczan sofort das Feuer.
c) Ruhig meldet Mete Öczan das Feuer an die Lagerleitung.
d) Über ein Telefon meldet Mete Öczan den Schwelbrand der Feuerwehr.

11 Umweltschutz

Aufgabe 304
Erläutern Sie, warum Nachhaltigkeit für Großhandelsunternehmen eine wichtige Rolle spielt.

Aufgabe 305
Erläutern Sie den Begriff der Nachhaltigkeit.

Aufgabe 306
Unterscheiden Sie die drei Arten der Nachhaltigkeit.

Aufgabe 307
Erläutern Sie die Begriffe
a) Ressourcenschonung
b) Abfallvermeidung
c) Umweltschutz

LÖSUNGEN

A. Organisieren des Warensortiments und von Dienstleistungen – LÖSUNGEN

Aufg. 1.	Das Sortiment ist die Gesamtheit aller Waren und Dienstleistungen, die ein Handelsbetrieb anbietet.
Aufg. 2.	Der Sortimentsumfang eines Handelsbetriebes wird mit den Begriffen „Sortimentsbreite" und „Sortimentstiefe" beschrieben. ↪ Die Sortimentsbreite wird durch die Zahl der Warenarten und Warengruppen bestimmt. Je mehr Warenarten und Warengruppen in einem Handelsbetrieb angeboten werden, umso breiter ist sein Sortiment. Ein breites Sortiment enthält viele Warenarten und Warengruppen. Ein schmales Sortiment besteht nur aus einer oder wenigen Warenarten. ↪ Die Sortimentstiefe wird durch die Artikel- und Sortenzahl bestimmt. Je mehr Artikel und Sorten innerhalb einer Warenart angeboten werden, umso tiefer ist ein Sortiment. Ein Handelsbetrieb führt ein tiefes Sortiment, wenn er innerhalb der einzelnen Warenarten viele Artikel und Sorten anbietet. Werden innerhalb der einzelnen Warenarten nur wenige Artikel und Sorten angeboten, spricht man von einem flachen Sortiment.
Aufg. 3.	a) Das Kernsortiment ist der Sortimentsteil, auf den sich die Haupttätigkeit des jeweiligen Handelsbetriebes erstreckt. Er erbringt in der Regel den überwiegenden Umsatzanteil. b) Das Randsortiment wird zur Ergänzung und Abrundung des Kernsortiments geführt. Es erbringt in der Regel den geringeren Umsatzanteil.

A. Organisieren des Warensortiments und von Dienstleistungen – LÖSUNGEN

	c) Sortimentspolitische Maßnahme, bei der ein Produkt aus dem Markt genommen wird.
	d) Sortimentspolitische Maßnahme, bei der eine Ausweitung bzw. Verbreiterung der von einem Unternehmen angebotenen Produktpalette zur Risikostreuung stattfindet.
Aufg. 4.	4
Aufg. 5.	2
Aufg. 6.	1
Aufg. 7.	4
Aufg. 8.	2
Aufg. 9.	3
Aufg. 10.	2
Aufg. 11.	a) ist nach Lieferanten geordnet und enthält Informationen über deren lieferbare Waren
	b) ist nach Waren geordnet und enthält Angaben über die betreffenden Lieferfirmen
	c) dienen der Suche im Internet nach gewünschten Informationen über Lieferanten
	d) eigene direkte und gezielte Erhebung von Beschaffungsmarktdaten
	e) Sammlung extern vorhandener Beschaffungsmarktdaten
	f) beide Formen dienen der Information über bestehende Geschäftsbeziehungen
	g) ermöglichen eine direkte Suche über das Internet
	h) Möglichkeit der Bezugsquellenermittlung von Dienstleistungen
Aufg. 12.	a) Preis, der im Angebot steht. Etwaige Abzüge sind noch nicht berücksichtigt.
	b) Preisnachlass zum Beispiel für größere Mengen
	c) Preis bei Inanspruchnahme eines Mengenrabatts
	d) Preisnachlass bei sofortiger Zahlung

A. Organisieren des Warensortiments und von Dienstleistungen – LÖSUNGEN

	e) Preis bei sofortiger Zahlung f) Preis, den die Ware insgesamt den Einkauf kostet g) anderer Begriff für Bezugspreis h) nachträglich gewährter Preisnachlass, der in der Regel am Jahresende gewährt wird, wenn ein bestimmter Mindestumsatz überschritten wurde
Aufg. 13.	a) richtig b) falsch c) richtig d) falsch e) richtig f) richtig g) richtig h) falsch
Aufg. 14.	Eine Anfrage ist eine unverbindliche Bitte um ein Angebot.
Aufg. 15.	Die Bulut KG wird sich im Rahmen des quantitativen Angebotsvergleichs für Angebot 2 entscheiden, weil dieses mit 16,61 € den kleineren Bezugspreis hat. Listeneinkaufspreis 15,00 18,00 - Rabatt -2,25 -1,60 = Zieleinkaufspreis 12,75 14,40 - Skonto -0,26 -0,29 = Bareinkaufspreis 12,49 14,11 + Bezugskosten +5,00 +2,50 = Bezugspreis (Einstandspreis) 17,49 16,61
Aufg. 16.	Die Bulut KG hat im Einkauf insgesamt 99,00 € Kosten (90,00 € für die Ware zzgl. 9,00 € Verpackungskosten) Berechnung: Reingewicht 100 kg + Tara 10 kg = Bruttogewicht 110 kg · 0,90 € = 99,00 € Bruttopreis.

A. Organisieren des Warensortiments und von Dienstleistungen – LÖSUNGEN

Aufg. 17.	a) 54,00 € b) 54,00 € (Gesetzliche Regelung entspricht unfrei) c) 0,00 € d) 8,00 € e) 18,00 € f) 54,00 €
Aufg. 18.	Die Warenwirtschaft umfasst in einem Handelsbetrieb alle Tätigkeiten, die mit der Beschaffung, der Lagerung und dem Verkauf von Waren zu tun haben. Die Warenwirtschaft ist das Hauptanwendungsgebiet der Datenverarbeitung in einem Handelsbetrieb. Fehler in der Warenwirtschaft sind für Handelsunternehmen existenzbedrohend.
Aufg. 19.	Ein Warenwirtschaftssystem ist das Informations- und Steuerungssystem der Warenwirtschaft eines Handelsbetriebs. Mithilfe dieses Instruments wird der Warenfluss im Unternehmen gesteuert und kontrolliert. Dadurch kann der Zielkonflikt der Warenwirtschaft – niedrige Bestände anzustreben bei gleichzeitiger Aufrechterhaltung eines hohen Lieferservices – gelöst werden. Durch Warenwirtschaftssysteme werden warenbezogene Informationen zur Verfügung gestellt: Je mehr und je bessere Informationen ein Handelsunternehmen hat, desto besser werden die unternehmerischen Entscheidungen sein und der Handelsbetrieb wird sich am Markt behaupten können.
Aufg. 20.	ERP bedeutet „Enterprise Ressource Planning". ERP-Systeme sind umfassende Programmpakete, die die Geschäftsprozesse eines Unternehmens abbilden. Diese Programmpakete, die in jedem Unternehmen eingesetzt werden können, erfassen die Prozesse eines Unternehmens nicht mehr softwaremäßig in Einzelbereichen und isoliert, sondern über alle Funktionsbereiche hinweg.
Aufg. 21.	Stammdaten (wie z. B. ein Name oder eine Artikelnummer) bleiben über einen längeren Zeitraum unverändert, wogegen sich Bewegungsdaten (z. B. Kontostände) häufiger ändern.
Aufg. 22.	a) richtig b) falsch

A. Organisieren des Warensortiments und von Dienstleistungen – LÖSUNGEN

	c) falsch
	d) richtig
	e) richtig
	f) richtig
	g) richtig
	h) richtig
	i) richtig
	j) falsch
	k) richtig
Aufg. 23. **Aufg. 24.**	1. Kontaktaufnahme mit Kunden: Kunden sollen sich positiv angenommen fühlen. 2. Ermittlung des Kaufwunschs: Verkaufspersonal soll in Erfahrung bringen, welche Bedürfnisse der Kunde hat. 3. Vorlegen der Ware: Verkaufspersonal soll die Ware bedarfsgerecht anbieten. 4. Verkaufsargumentation, Anbieten von Problemlösungen: Kunde soll durch die Nutzendarstellung überzeugt werden. 5. Nennung des Preises: Verkaufspersonal setzt den Preis der Ware in Bezug zur Leistung. 6. Behandlung von Einwänden: Unsicheren Kunden wird gezeigt, dass ihre Bedenken ernst genommen werden. 7. Herbeiführen des Kaufentschlusses: Kunde soll dazu gebracht werden, eine Entscheidung zu treffen. 8. Abschluss der Verkaufsverhandlung: Das Verkaufsgespräch wird für Kunden zufriedenstellend beendet.
Aufg. 25.	Sogenannte passive Verkaufsgespräche liegen vor, wenn ein Kunde selber die Initiative ergreift und das Großhandelsunternehmen anruft, um zunächst einmal mehr Produktinformation zu bekommen, vielleicht auch um gleich zu bestellen. Solche ankommenden Gespräche werden als Inbound bezeichnet. Wenn der Großhändler von sich aus aktiv wird, also Kunden bzw. Interessenten anruft, um ein Produkt zu verkaufen, liegt ein aktives Verkaufsgespräch über Telefon vor. Ausgehende Anrufe zur Durchführung von Verkaufsgesprächen werden auch Outbound genannt.

A. Organisieren des Warensortiments und von Dienstleistungen – LÖSUNGEN

Aufg. 26.

→ Jeder fasst sich kurz.
→ Es redet immer nur eine Person.
→ Alle sind für das Gruppenergebnis mitverantwortlich.
→ Jeder arbeitet mit.
→ An der Ergebnispräsentation sollten möglichst alle Gruppenmitglieder teilnehmen oder diese zumindest gemeinsam vorbereiten und dann einen Sprecher wählen.
→ Über den „richtigen" Weg wird diskutiert.
→ Diskussionsbeiträge dürfen nicht persönlich verletzend sein.
→ Jedes Gruppenmitglied darf sich frei äußern und ausreden.
→ Alle Meinungen werden gegenseitig anerkannt.
→ Fühlt sich jemand unwohl, sagt er es sofort.
→ Vereinbarte Termine werden eingehalten.
→ Jeder ist gegenüber der Gruppe für übernommene Aufgaben verantwortlich.

Aufg. 27.

A. Organisieren des Warensortiments und von Dienstleistungen – LÖSUNGEN

Aufg. 28.	Negative Auswirkungen von Konflikten: → Konflikte kosten Zeit. → Konflikte vergiften das Arbeitsklima. → Konflikte nehmen die Arbeitsfreude. → Konflikte blockieren die Kreativität. → Konflikte verursachen Kosten. Positive Auswirkungen von Konflikten: → Missstände und Missverständnisse werden deutlich. → Ideen und Problemlösungen werden angestoßen. → Verbesserungen werden entwickelt und ausprobiert. → Neue Kommunikationsformen werden gefunden. → „Reinigende Gewitter" klären die Luft.
Aufg. 29.	Vorgehensweise im allgemeinen Konfliktfall: Wahrnehmen → Der Konflikt muss natürlich erst einmal erkannt werden. → Welche direkten oder indirekten Parteien befinden sich in welcher Eskalationsstufe? → Wer ist direkt betroffen, wer ist indirekt betroffen und wer fühlt sich betroffen? Austragen → Der Konflikt darf nicht verschwiegen und muss offen angegangen werden. → Der Konflikt sollte geregelt ausgetragen werden, sonst besteht die Gefahr der späteren Konfliktsteigerung. Lösen → Keine der Parteien sollte mit dem Gefühl der Unterlegenheit aus dem Konflikt hervorgehen. → Eine kooperative Problemlösung sollte angestrebt werden. Nacharbeiten → Eine nachträgliche Konfliktanalyse zeigt eventuell ständig bestehendes Konfliktpotenzial oder zumindest Parallelen auf. → Die Parteien müssen sich an die Vereinbarungen halten. → Ein Lerneffekt sollte folgen

B Kaufmännische Steuerung von Geschäftsprozessen – LÖSUNGEN

Aufg. 30	a) 11, b) 10, c) 9, d) 8, e) 5, f) 7, g) 6, h) 4, i) 3, j) 2, k)1
Aufg. 31	5
Aufg. 32	4
Aufg. 33	richtig sind die Aussagen a) bis e) und h) sowie i)
Aufg. 34	(6), (1), (5), (3), (4), (7), (2)
Aufg. 35	(3), (2), (4), (1)
Aufg. 36	Bilanz – Bilanzveränderungen – vier – Aktiv-Passiv-Mehrung – Passivpositionen – erhöht – Bilanzverlängerung – Aktiv-Passiv-Minderung – verringert – Bilanzverkürzung – Aktivtausch – Bilanzsumme – Aktivkonto – Passivtausch – vermindert – Eigenkapitals
Aufg. 37	2
Aufg. 38	a) falsch b) falsch c) richtig d) richtig e) richtig f) falsch g) richtig h) richtig i) falsch j) richtig k) falsch
Aufg. 39	a) Bank an Forderungen b) Darlehen an Bank c) Kasse an Bank d) Bank an Fuhrpark und Umsatzsteuer e) Bank an Darlehen f) Bank an Kasse

	g) Verbindlichkeiten an Bank
	h) Fuhrpark und Vorsteuer an Verbindlichkeiten
Aufg. 40	1
Aufg. 41	5
Aufg. 42	organisiert – ordnungsgemäßer – zeitlicher – Grundbuch – Journal – Buchungsnummer – Belegnummer – Kontierung – sachlichen – Gewinn – Kontenrahmen – Aktiva – vierstellige – Kontenklasse – Kontenplan
Aufg. 43	2
Aufg. 44	a) falsch
	b) richtig
	c) richtig
	d) falsch
	e) falsch
	f) richtig
	g) falsch
	h) richtig
	i) richtig
	j) richtig
Aufg. 45	2 und 5
Aufg. 46	4
Aufg. 47	2 und 3
Aufg. 48	a) 5, b) 7, c) 8, d) 9, e) 1, f) 10, g) 4 , h) 6, i) 3, j) 2
Aufg. 49	a) falsch
	b) falsch
	c) richtig
	d) richtig
	e) falsch
	f) falsch
	g) richtig

	h) richtig i) falsch
Aufg. 50	Das Eröffnungsbilanzkonto ist ein Hilfskonto des internen Rechnungswesens, um den Grundsatz der doppelten Buchführung (Soll- an Haben-Buchung) einhalten zu können. Es enthält dieselben Informationen wie die Eröffnungsbilanz, allerdings spiegelverkehrt. Es gelten nicht die strengen Formvorschriften wie bei der Bilanz.
Aufg. 51	SBK als Konto des internen Rechnungswesens besteht aus Soll- und Habenseite, das externe Konto Schlussbilanz aus Aktiv- und Passivseite. SBK hat keine Gliederungsvorschrift.
Aufg. 52	1
Aufg. 53	2
Aufg. 54	(3) an (4)
Aufg. 55	2
Aufg. 56	5
Aufg. 57	a) Abschreibung, bei der von einem gleichmäßigen Wertverlust über die betriebsgewöhnliche Nutzungsdauer des Vermögensgegenstandes ausgegangen wird. b) Ableitungsverfahren, dass momentan steuerlich nicht erlaubt ist. c) Die Abschreibung wird nicht regelmäßig im Zeitverlauf, sondern anteilig nach der Stärke der betrieblichen Nutzung erfasst. d) Dieses Ausschreibungsverfahren wird vorgenommen, wenn ein Vermögensgegenstand während der betriebsgewöhnlichen Nutzungsdauer außergewöhnlich an Wert verliert und die normale Abschreibung den Wertverlust nicht abbilden kann. e) Vollabschreibung im Wirtschaftsjahr der Anschaffung/Herstellung

	f) Der Gegenstand im letzten Jahr der Nutzungsdauer bei weiterem Verbleib im Betriebsvermögen nicht auf 0,00 €, sondern auf 1,00 € abgeschrieben.
Aufg. 58	a)
Aufg. 59	b)
Aufg. 60	99.000,00 € (140.000 − 35.000 − 6.000)
Aufg. 61	b), c), d)
Aufg. 62	d)
Aufg. 63	a) Sonstige Verbindlichkeiten b) Sonstige Forderungen c) Aktive Rechnungsabgrenzung d) Passive Rechnungsabgrenzung
Aufg. 64	a) Sonstige Forderungen an Zinserträge (aus langfr. Forderungen) b) Kreditinstitute (Bank) an Sonstige Forderungen und Zinserträge (aus langfr. Forderungen)
Aufg. 65	1
Aufg. 66	b), c), f), g)
Aufg. 67	c)
Aufg. 68	c)
Aufg. 69	c)
Aufg. 70	a)
Aufg. 71	b)
Aufg. 72	Barzahlung liegt vor, wenn Geld (Banknoten und Münzen) vom Schuldner an den Gläubiger persönlich oder durch einen Boten übermittelt wird und für die Zahlung keine Konten verwendet werden.
Aufg. 73	Eine Quittung beweist die Übergabe von Bargeld. Jede Quittung sollte folgende Angaben enthalten: → Zahlungsbetrag (in Ziffern und Buchstaben) → Name des Zahlers

	→ Grund der Zahlung → Empfangsbestätigung → Ort und Tag der Ausstellung → Unterschrift des Zahlungsempfängers (Ausstellers)
Aufg. 74	Daueraufträge eignen sich für regelmäßig wiederkehrende Zahlungen in derselben Höhe, z. B. Zahlung des IHK-Beitrages, Zahlung von Mitgliedsbeiträgen, Zahlung der Miete. Das Lastschriftverfahren eignet sich für regelmäßige Zahlungen von Beträgen in unterschiedlicher Höhe, z. B. Zahlung der Fernsprechgebühren, Zahlung der Stromrechnung.
Aufg. 75	c)
Aufg. 76	d)
Aufg. 77	a)
Aufg. 78	a) Fälligkeit und Mahnung (in einigen Fällen ist keine Mahnung erforderlich) b) Bestehen auf Zahlung (einschließlich evtl. Schadensersatz und Verzugszinsen) oder Ablehnung der Zahlung (= Rücktritt vom Vertrag)
Aufg. 79	Nur in Fall b) muss gemahnt werden.
Aufg. 80	Um ausstehende Zahlungen einzutreiben, werden ein oder mehrere Mahnschreiben in abgestufter Form an den Schuldner verschickt. Dies bringt auf schnelle und kostengünstige Weise den Schuldner in Zahlungsverzug.
Aufg. 81	b)
Aufg. 82	d)
Aufg. 83	4
Aufg. 84	a) Kreditnehmer müssen das überlassene Fremdkapital innerhalb von sechs Monaten zurückzahlen. b) Diese Kredite haben eine Laufzeit von sechs Monaten bis vier Jahren. Sie dienen ähnlich wie die kurzfristigen Kredite häufig der Finanzierung von Umlaufvermögen.

c) Zu diesen Krediten zählen alle Kredite mit einer Laufzeit von über vier Jahren. Sie werden oft aufgenommen für die Finanzierung von Gütern des Anlagevermögens.

d) Bei diesem Kredit räumt der Kreditgeber dem Kreditnehmer einen bestimmten Höchstbetrag ein, die sogenannte Kreditlinie. Abhängig von seinem Finanzierungsbedarf kann dann der Kreditnehmer in wechselndem Umfang maximal bis zu diesem Höchstbetrag einen Kredit in Anspruch nehmen.

e) In der Regel ein langfristiger Kredit, bei dem ein Geldbetrag entweder in einer Summe oder in bestimmten Teilbeträgen an den Schuldner ausgezahlt wird. Häufig wird ein Darlehen für Investitionen im Bereich des Anlagevermögens aufgenommen.

f) Dieses Darlehen wird oft auch Festdarlehen genannt. Der Kredit wird am Ende der Laufzeit in einer Summe getilgt.

g) Die Rückzahlung des Kredits erfolgt in Raten zu festgelegten Terminen. Dabei bleiben die Tilgungsbeträge gleich. Weil die Restschuld dadurch sinkt, ergeben sich sinkende Zinszahlungen. Die finanzielle Belastung des Schuldners wird daher von Jahr zu Jahr geringer.

h) Über die gesamte Laufzeit werden an den Gläubiger gleich hohe – sich aus den Zins- und Tilgungsanteilen zusammensetzende – Beträge zurückgezahlt. Weil durch die Tilgung die Restschuld immer geringer wird, sinkt bei den gleichbleibenden Zahlungen des Schuldners die Zinsbelastung und der Tilgungsbetrag steigt.

i) Mithilfe dieses Kredits können Warenverkäufe finanziert werden. Diese Art des Kredits ist eine kurzfristige Form der Finanzierung. Dabei vereinbart der Einkäufer von Waren mit dem Lieferanten ein Zahlungsziel. Dies ist eine Frist, die der Lieferant für die Bezahlung der Rechnung setzt.

	j)	Wenn nur die Person des Kreditnehmers dem Kreditgeber als Sicherheit dient, liegt diese Art Kredit vor. Der Kredit wird lediglich aufgrund der Kreditwürdigkeit des Schuldners gewährt. Dieser Kredit wird oft auch als Blankokredit bezeichnet.
	k)	Hierbei haftet neben der Person des Kreditnehmers mindestens noch eine weitere Person für die Erfüllung der Verbindlichkeit.
	l)	Hierbei haftet eine weitere Person als Bürge für die Rückzahlung des Kredits. Der Kreditgeber hat damit für seine Forderung zwei Schuldner.
	m)	Dazu wird neben dem eigentlichen Kreditvertrag zwischen dem Kreditgeber und dem Kreditnehmer ein weiterer Vertrag abgeschlossen. Durch diesen geht die Forderung des Kreditnehmers gegenüber dem Drittschuldner an den Kreditgeber über.
	n)	Bei einem Realkredit dient – neben der Person des Kreditnehmers – eine reale Sache als Sicherheit.
	o)	Dieser Kredit wird oft auch Pfandkredit genannt. Zur Absicherung eines Kredits bekommt der Kreditgeber als Sicherheit vom Kreditnehmer einen Gegenstand aus dessen beweglichem Vermögen als Pfand. Als Pfandgegenstände eignen sich Rechte oder bewegliche Sachen, die dem Kreditnehmer gehören.
	p)	Hierbei wird unbewegliches Vermögen zur Absicherung meist langfristiger Kredite verpfändet. Da ein Grundstück und die damit verbundenen Gebäude nicht direkt als Faustpfand übergeben werden können, wird das Grundpfandrecht daher in ein amtliches Register eingetragen.
Aufg. 85	d)	
Aufg. 86	d)	
Aufg. 87	a) und d)	

Aufg. 88	a) Hierbei verkauft ein Unternehmen seine Forderungen gegen Kunden an eine spezielle Finanzierungsgesellschaft, den sogenannten Factor.
	b) Der Factor berechnet dem Factoringkunden diese Gebühr für seinen Service sowie die damit verbundenen Kosten.
	c) Der Factor behält einen gewissen Betrag des Forderungskaufpreises ein, um etwaige Preisnachlässe aufgrund von Mängeln, Reklamationen, Skonti, Rückgaben und Ähnlichem auszugleichen.
	d) Mit dem Ankauf der Forderung übernimmt der Factor auch das Ausfallrisiko in voller Höhe. Diese Übernahme der Haftung für den Forderungsverlust durch Zahlungsunfähigkeit eines Drittschuldners nennt man:
	e) Hierbei wird der Schuldner über den Forderungsverkauf informiert. Dabei wird er aufgefordert, direkt an den Factor zu zahlen.
	f) Wird die Forderungsabtretung dem Debitor gegenüber nicht offengelegt, liegt diese Art des Factorings vor. Dadurch werden Verunsicherungen zwischen Factoringkunden und Debitoren vermieden. Das Debitorenmanagement verbleibt damit beim Factoringkunden.
	g) Diese Art des Factorings bedeutet, dass der Factor das Ausfallrisiko (Delkredererisiko) übernimmt. Dies ist in Deutschland beim Factoring der Normalfall.
	h) Diese Art des Factorings liegt vor, wenn der Factor die Forderungen nur ankauft.
Aufg. 89	a)
Aufg. 90	d)
Aufg. 91	a) Einzahlung, aber keine Einnahme
	b) Einzahlung und Einnahme
	c) Einnahme, aber keine Einzahlung
	d) Auszahlung, aber keine Ausgabe
	e) Auszahlung und Ausgabe

	f) Ausgabe, aber keine Auszahlung
	g) Einnahme, aber kein Ertrag
	h) Ausgabe, aber kein Aufwand
	i) Einnahme und Ertrag
	j) Ausgabe und Aufwand
	k) Ertrag, aber keine Einnahme
	l) Aufwand, aber keine Ausgabe
	m) Erträge, aber keine Leistungen
	n) Aufwand, aber keine Kosten
	o) Erträge und Leistungen
	p) Aufwand und Kosten
	q) Leistungen, aber keine Erträge
	r) Kosten, aber kein Aufwand
Aufg. 92	a) Kosten, die für den Betrieb insgesamt anfallen, können aber nicht direkt einem Kostenträger zugerechnet werden.
	b) Die variablen Kosten nehmen bei steigender Ausbringungsmenge stärker zu.
	c) Kosten, die einem einzelnen Kostenträger (z. B. einem Artikel) direkt zugerechnet werden können. Oft werden sie auch als direkte Kosten bezeichnet.
	d) Diese Kosten bleiben bei Schwankungen der Auslastung konstant.
	e) Die variablen Kosten verändern sich im gleichen Verhältnis wie die Ausbringungsmenge.
	f) Diese Kosten verändern sich als mengenabhängige Kosten bei Änderung der Produktions- bzw. Absatzmenge.
	g) Ab einer bestimmten Ausbringungsmenge ändert sich – sprunghaft – die Höhe der Fixkosten.
	h) Je mehr ein Unternehmen produziert, desto stärker wird sich dessen Kostenstruktur verbessern.

	i) Dies sind Kosten, die in gleicher Höhe sowohl als Aufwand in die Geschäftsbuchführung eingehen, als auch als Kosten in der Kostenrechnung verrechnet werden.
	j) Kosten, die nicht direkt einer Aufwandsart der Geschäftsbuchführung entsprechen.
Aufg. 93	Leistungseinheit – Verursachungsbereichen – unwirtschaftliche – Einheiten – Unternehmung – Kostensteigerung – Verantwortungsträger – Hauptkostenstellen – direkte – Kostenstellenplan – Funktionsbereichen – Vertrieb – Nebenkostenstellen – Verwaltung – Gemeinkosten – Kostenträger – Verwaltung – Betriebsabrechnungsbogen – BAB – Kostenverursachung – Zuschlagssätze – Kostenstelle – Prozentsatz – kostet
Aufg. 94	Produkt – Erfolg – Kostenträgern – Kostenträgerrechnung – Vollkostenrechnung – fixen – Selbstkosten – Teilkostenrechnung – variablen – betriebswirtschaftlicher – Fixkosten – Verkaufspreis – Deckungsbeitrag – Betriebsgewinn – Verkaufserlösen – Stück – Periode – Preisuntergrenze – wirtschaftlich
Aufg. 95	a)
Aufg. 96	a)
Aufg. 97	a)
Aufg. 98	a)
Aufg. 99	a)
Aufg. 100	a) 5, b) 2, c) 1, d) 6, e) 3, f) 4
Aufg. 101	3
Aufg. 102	3
Aufg. 103	Die Eigenkapitalrentabilität gibt die Verzinsung des eingesetzten Eigenkapitals an.
Aufg. 104	d)
Aufg. 105	Bezugskosten werden als Anschaffungsnebenkosten gesondert erfasst auf dem Konto Warenbezugskosten.

Aufg. 106	a) Rücksendungen an Lieferanten
	b) Nachlässe an Lieferanten
	c) Lieferantenboni
	d) Lieferantenskonti
Aufg. 107	Es handelt sich um Vertriebskosten, die dem Kunden im Verkauf buchhalterisch direkt als Warenverkauf berechnet werden.
Aufg. 108	a) Rücksendungen von Kunden
	b) Kundenskonti
Aufg. 109	4
Aufg. 110	4
Aufg. 111	2
Aufg. 112	2
Aufg. 113	2
Aufg. 114	1
Aufg. 115	1
Aufg. 116	3

C. Prozessorientierte Organisation von Großhandelsgeschäften– LÖSUNGEN

Aufg. 117	a) Binnenschifffahrt
	b) Eisenbahn (Binnenschifffahrt nicht möglich)
	c) Luftfracht)
	d) Lkw
	e) Post bzw. Paketdienst
Aufg. 118	a) Gewerblicher Güterkraftverkehr
	b) Seeschifffahrt
	c) Luftfracht
	d) Kurier-, Express- und Paketdienste

Aufg. 119	1
Aufg. 120	Lieferschein. Er enthält → Anschrift des Empfängers → Lieferscheinnummer → zugestellte Warenart und Warenmenge → Lieferdatum
Aufg. 121	2
Aufg. 122	4
Aufg. 123	a) 3, b) 1, c) 2, d) 4
Aufg. 124	1
Aufg. 125	a) Gütertransport durch unternehmenseigene Fahrzeuge zu unternehmenseigenen Zwecken b) Selbstständige Kaufleute, die gewerbsmäßig Güter befördern (§ 407 ff. HGB) c) Der Frachtführer muss den Gütertransport zu einem bestimmten Ort innerhalb der vereinbarten Zeit durchführen. d) Der Frachtführer hat die Weisungen des Absenders so lange zu befolgen, wie die Ware noch nicht an den Empfänger ausgehändigt worden ist. e) Der Frachtführer haftet für verschuldeten Verlust, Beschädigung und Lieferfristüberschreitung. f) Der Frachtführer kann die Ausstellung eines Frachtbriefs und die Übergabe der erforderlichen Warenbegleitpapiere verlangen. g) Der Frachtführer hat Anspruch auf Zahlung der vereinbarten Fracht und Erstattung sonstiger Auslagen. h) Der Frachtführer hat ein Recht an dem beförderten Gut wegen aller durch den Frachtvertrag begründeten Forderungen.
Aufg. 126	a) 5, b) 3, c) 4, d) 1, e) 6, f) 2

C. Prozessorientierte Organisation von Großhandelsgeschäften – LÖSUNGEN

Aufg. 127

a) Das Tochterunternehmen der Deutschen Bahn, DB Schenker Rail Deutschland AG, verschickt Einzelstücke mehrerer Versender zusammen als Wagenladung an einen Empfangsspediteur (Sammelladung). Dieser Empfangsspediteur liefert die Einzelstücke an die verschiedenen Empfänger weiter.

b) Besonders eilige handliche Sendungen bis 20 kg können mit Intercityzügen befördert werden. Die Sendungen können bis 30 Minuten vor Abfahrt des Intercityzuges am Gepäckschalter abgegeben werden. Der Absender kann die Sendung aber auch unmittelbar am Zug abliefern.

c) Diese Güterverkehrsart wird beim Versand großer Warenmengen gewählt. Sie eignet sich vor allem für Massengüter (Holz, Kohle, Öl, Erze usw.). Die Verladung erfolgt durch den Absender auf Freiladegleisen des Güterbahnhofs oder auf eigenen Anschlussgleisen.

d) Bei dieser Güterverkehrsart werden Versendern, die über einen eigenen Gleisanschluss verfügen, von der DB Schenker AG einzelne Güterwagen zur Verfügung gestellt.

e) Bei dieser Güterverkehrsart werden beim Versender vollständige Züge in der Regel mit Massengütern beladen. Ganzzüge sind komplette Güterzüge von bis zu 700 m Länge und einer Bruttolast von bis zu 5 400 t. Meist fahren sie direkt vom Gleisanschluss des Versenders zum Gleisanschluss des Empfängers.

f) In diesem Verkehr befördert die Bahn Großcontainer und Straßenfahrzeuge des Güterverkehrs.

C. Prozessorientierte Organisation von Großhandelsgeschäften – LÖSUNGEN

Aufg. 128	a) KEP steht im Deutschen für Kurier-, Express- und Paketdienst und ist ein Begriff für den Transport von Stückgütern mit einem verhältnismäßig geringen Gewicht und Volumen. Diese Art von Dienstleistung wird von Logistik- und Postunternehmen angeboten und unterscheidet sich von herkömmlichen Versandarten. Neben Gewicht und Volumen sind die Geschwindigkeit des Güterversandes und die angebotenen Dienstleistungen ausschlaggebend. b) Tracking and Tracing ist der Fachbegriff für die Sendungsverfolgung: Mit der Sendungsverfolgung können versendete Stückgüter auf jeder Stufe der Logistikkette verfolgt werden.
Aufg. 129	5
Aufg. 130	a) Selbstständige Kaufleute, die auf Rechnung des Versenders die Güterversendung durch Frachtführer besorgen. b) Der Spediteur hat Anspruch auf Ersatz der Auslagen und Provisionen. c) Der Spediteur kann selbst als Frachtführer und Lagerhalter auftreten. d) Der Spediteur kann das in seinem Besitz befindliche Transportgut zurückhalten, wenn der Auftraggeber mit seinen Leistungen im Verzug ist. e) Er ist der „verlängerte Arm" der Eisenbahn. Er holt die Stückgüter vom Absender zum Versandbahnhof und bringt die Stückgüter vom Empfangsbahnhof zum Empfänger. f) Er befasst sich mit der Transportvermittlung im Binnenschifffahrtsverkehr und mit der Umschlagstätigkeit vom Binnenschiff auf das Land und umgekehrt. g) Er ist kein Frachtführer, sondern Transportvermittler. Vielfach hat er sich jedoch einem Unternehmen des Güterkraftverkehrs angegliedert.

	h) Er erledigt die Transportvermittlung im Überseegeschäft.
	i) Er vermittelt den Abschluss von Luftfrachtverträgen zwischen Auftraggeber und Luftverkehrsgesellschaften.
	j) Er erledigt hauptsächlich Zollformalitäten beim Ex- und Import über die „trockene Grenze".
	k) Er sammelt Stückgüter zahlreicher Kunden und expediert sie jeweils als Sammelladung per Eisenbahn oder mit Unternehmen des gewerblichen Güterkraftverkehrs.
Aufg. 131	2
Aufg. 132	Wenden Lieferer und Kunden das Just-in-time-Prinzip an, erfolgt der Warenfluss vom Lieferer zum Abnehmer ohne von Lagerhaltungsprozessen unterbrochen zu sein: Die Ware wird entsprechend den Kundenwünschen bezüglich Lieferservice, Preis und Qualität zeitgenau vom Lieferer zur Verfügung gestellt. Bei der Verwirklichung des Just-in-time-Prinzips können verschiedene Methoden angewandt werden: → verbrauchssynchrone Anlieferung → Zusammenlegung der Lager → Verlagerung der Lagerung auf die Transportmittel → Integrierte Warenwirtschaftssysteme: Die Warenwirtschaftssysteme der Unternehmen der unterschiedlichen Wirtschaftsstufen werden miteinander verknüpft.
Aufg. 133	a) Kfz-Versicherung (Sachversicherung) b) Warenkreditversicherung (Vermögensversicherung) c) Leitungswasserversicherung (Sachversicherung) d) Schwachstromanlagenversicherung (Sachversicherung) e) Vertrauensschadensversicherung (Vermögensversicherung) f) Private Unfallversicherung (Personenversicherung)

	g) Einbruchdiebstahlversicherung (Sachversicherung)
	h) Feuerversicherung (Sachversicherung)
	i) Betriebsunterbrechungsversicherung (Vermögensversicherung)
	j) Rechtsschutzversicherung (Vermögensversicherung)
Aufg. 134	Eine Großhandlung benötigt folgende Versicherungen: → Feuerversicherung → Leitungswasserversicherung → Einbruch-Diebstahl-Versicherung → Sturmversicherung → Schwachstromanlagenversicherung → Glasversicherung → Transportversicherung
Aufg. 135	5
Aufg. 136	1, 4, 3, 5, 2
Aufg. 137	3
Aufg. 138	2
Aufg. 139	6
Aufg. 140	a) Veredelung b) Pflege c) Umformung d) Ausnutzung von Preisvorteilen e) Zeitüberbrückung f) Sicherung der Verkaufsbereitschaft g) Spekulation h) Schutz der Ware i) räumlicher Ausgleich
Aufg. 141	a) Eigenlager b) Fremdlager c) zentrales Lager d) dezentrales Lager e) Vorratslager

	f) Umschlagslager
	g) Freilager
	h) Flachlager
	i) Etagenlager
	j) Hochflachlager
	k) Hochregallager
	l) Reservelager
Aufg. 142	↝ Übersichtlichkeit: Zur schnellen Wareneinlagerung und -entnahme muss man im Lager die Übersicht behalten können. ↝ Geräumigkeit: Für eine effektive Lagerung muss für Kunden, Personal und Fördermittel ausreichend Bewegungsspielraum vorhanden sein. ↝ Artgerechte Lagerung: Die Lagerung muss den jeweiligen speziellen Anforderungen der Ware entsprechen (Ware sollte also je nach ihrer Beschaffenheit geschützt werden vor Licht, Feuchtigkeit, Wärme usw.) ↝ Sachgerechte Lagereinrichtung: Um den Aufgaben der Lagerhaltung nachzukommen, sollten technische Einrichtungen und andere Hilfsmittel (z. B. Regale, Gabelstapler usw.) verwendet werden, die das Lagern der Ware erleichtern. ↝ Sicherheit: Die Lagerräume müssen so gestaltet sein, dass es einerseits zu keinen Unfällen kommen kann, andererseits die Ware vor Risiken geschützt ist.
Aufg. 143	a) Feuchtigkeit/Licht
	b) Feuchtigkeit
	c) Austrocknung/Geschmacksverlust/Geschmacksübertragung
	d) Wärme/Schädlinge
	e) Austrocknung
	f) Wärme/Licht
	g) Feuchtigkeit

Aufg. 144	optimalen – Kostengründen – Lieferbereitschaft – negative – bindet – totes – Lagerkosten – Niedrige – Kundenverluste – Gewinn – Mengenrabatte
Aufg. 145	Kosten für die Lagerbestände → Zinsen für das in den Lagerbeständen gebundene Kapital → Prämien für die Versicherung der Lagerbestände → Wertminderung der Warenvorräte durch Diebstahl, Schwund, Veralten und Verderb Kosten für die Lagerverwaltung → Löhne und Gehälter des Lagerpersonals → Büromaterial für die Lagerverwaltung Kosten für die Lagerausstattung → Raumkosten → Instandhaltung, Strom, Heizung → Abschreibungen auf Gebäude und Einrichtungen → Verzinsung des Kapitals, das in Gebäude und Einrichtung investiert wurde
Aufg. 146	4
Aufg. 147	3
Aufg. 148	3
Aufg. 149	a) richtig b) falsch c) falsch d) richtig e) richtig f) falsch g) richtig h) richtig i) falsch j) richtig
Aufg. 150	$(40 \cdot 10) + 120 = 520$ Der Meldebestand beträgt 520 Stück.

C. Prozessorientierte Organisation von Großhandelsgeschäften – LÖSUNGEN

Aufg. 151	5
Aufg. 152	4
Aufg. 153	1
Aufg. 154	5
Aufg. 155	a) richtig b) richtig c) falsch d) richtig e) falsch f) richtig g) richtig h) richtig i) falsch j) falsch k) richtig l) falsch
Aufg. 156	durchschnittlicher Lagerbestand = (900.000,00 + 1.300.000,00) / 2 = 1.100.000,00 €
Aufg. 157	durchschnittlicher Lagerbestand = (12 + 10 + 20 + 14 + 10 + 12 + 16 + 12 + 10 + 18 + 16 + 14 + 18) / 13 = 14 Stück
Aufg. 158	Lagerumschlagshäufigkeit = 490.000,00 / 70.000,00 = 7
Aufg. 159	Im Rahmen der Kommissionierung erledigt ein Großhändler Kundenaufträge: Er stellt die vom Kunden benötigten Waren aus mehreren Lagerorten zusammen.

C. Prozessorientierte Organisation von Großhandelsgeschäften – LÖSUNGEN

Aufg. 160	Beim seriellen Kommissionieren wird ein Kundenauftrag nach der Reihe der Kommissionierpositionen von einem Kommissionierer abgearbeitet. Beim parallelen Kommissionieren wird der Kundenauftrag in mehrere Teilaufträge zerlegt, wobei der Lagerort als Zerlegungskriterium gilt. Die einzelnen Teilaufträge werden von unterschiedlichen Kommissionierern erledigt und hinterher wieder zusammengeführt.
Aufg. 161	Beim Kommissionierprinzip „Mann zur Ware" geht der Kommissionierer zu den Lagerplätzen und entnimmt die jeweilige Artikelmenge. Der gegenteilige Fall liegt beim Kommissionierprinzip „Ware zum Mann" vor: Die Artikel werden in Behältern oder Paletten aus dem Lager zum Kommissionierer gebracht, der die benötigten Teilmengen erhält.
Aufg. 162	Ein Lagerhalter übernimmt gewerbsmäßig die Lagerung und Aufbewahrung von Gütern. Er ist Kaufmann und schließt mit dem Einlagerer einen Lagervertrag ab.
Aufg. 163	Entweder mit dem Lagerempfangsschein oder einem Lagerschein (je nach Wunsch des Einlagerers) bescheinigt der Lagerhalter die Einlagerung der Ware. Der Lagerempfangsschein ist in erster Linie eine Quittung, mit der der Lagerhalter den Empfang der Ware bescheinigt.
Aufg. 164	Wenn ein Großhändler vor der Frage steht, ob er eine Eigen- oder Fremdlagerung von Gütern vornehmen soll, führt er eine Kostenvergleichsrechnung durch. Dabei ermittelt er die kritische Lagermenge: Das ist die Lagermenge, bei der die Kosten der Eigenlagerung und Fremdlagerung genau gleich sind. Wenn man in einer Tabelle die Kosten der Eigenlagerung denen der Fremdlagerung gegenüberstellt, ergibt sich die kritische Lagermenge von 2 t. Bei einer geringeren Menge lohnt sich die Fremdlagerung; bei einer größeren Menge ist die Eigenlagerung vorzuziehen.

Begründung:
- → Bei 1 t betragen die Gesamtkosten der Eigenlagerung (setzen sich zusammen aus 50.000,00 € fixen Kosten und 25.000,00 € variablen Kosten) 75.000,00 €. Die Kosten der Fremdlagerung betragen 50.000,00 €.
- → Bei 2 t betragen die Gesamtkosten der Eigenlagerung (setzen sich zusammen aus 50.000,00 € fixen Kosten und 50.000,00 € variablen Kosten) 100.000,00 €. Die Kosten der Fremdlagerung betragen 100.000,00 €. Hier sind die Kosten der Eigen- und Fremdlagerung gleich: Die kritische Lagermenge ist erreicht.
- → Bei 3 t betragen die Gesamtkosten der Eigenlagerung (setzen sich zusammen aus 50.000,00 € fixen Kosten und 75.000,00 € variablen Kosten) 125.000,00 €. Die Kosten der Fremdlagerung betragen 150.000,00 €.

Aufg. 165

Festplatzsystem: Jedem Lagergut wird ein fester Lagerplatz zugeordnet. Eine bestimmte Ware ist also immer am gleichen Lagerort zu finden. Die Platzgröße des Lagerplatzes wird durch den Höchstbestand bestimmt.

Die chaotische Lagerplatzzuordnung besagt: Es gibt keine festen Lagerplätze für bestimmte Artikel, weil eingehende Ware mithilfe der EDV gerade frei gewordenen Lagerplätzen zugewiesen wird. Wenn es einem Großhändler um die Optimierung der Lagerflächen bzw. der Lagerkapazität geht, wird er sich für die chaotische Lagerplatzzuordnung entscheiden. Da es hier keine festen Lagerplätze für Artikel gibt, braucht nicht jeweils Platz für den Höchstbestand vorgehalten werden.

C. Prozessorientierte Organisation von Großhandelsgeschäften – LÖSUNGEN

Aufg. 166	Im Rahmen eines Verbrauchsfolgeverfahrens wird die Reihenfolge der Waren bei den Einlagerungs- und Auslagerungsprozessen im Lager festgelegt:
	→ Bei der Fifo-Methode (first in – first out) wird die zuerst eingelagerte Ware auch zuerst wieder ausgelagert. Diese Methode wird z. B. fast immer bei Lebensmitteln angewandt.
	→ Bei der Lifo-Methode wird die zuletzt eingelagerte Ware zuerst wieder ausgelagert. Dies ist z. B. bei Schüttgütern wie Kohle, Sand, Getreide der Fall.
Aufg. 167	→ Warenannahme und Eingangskontrolle → Warenpflege → Warenmanipulation → Innerbetrieblicher Transport → Physische Lagerführung → Kommissionierung
Aufg. 168	→ nur einwandfreie Ware in die Warenträger bringen → Ware ständig auf Beschädigungen prüfen → beschädigte oder verdorbene Ware aussortieren → Ware nur in der angemessenen Sauberkeit anbieten → Ware reinigen bzw. entstauben → Ware auf Überschreitung des Verfallsdatums überprüfen und evtl. aussortieren → Ware auf korrekte Preisauszeichnung überprüfen
Aufg. 169	3
Aufg. 170	4
Aufg. 171	4
Aufg. 172	2
Aufg. 173	5
Aufg. 174	5
Aufg. 175	3
Aufg. 176	5
Aufg. 177	4

C. Prozessorientierte Organisation von Großhandelsgeschäften – LÖSUNGEN

Aufg. 178	5
Aufg. 179	3
Aufg. 180	4
Aufg. 181	5
Aufg. 182	1
Aufg. 183	1
Aufg. 184	5
Aufg. 185	d)
Aufg. 186	b)
Aufg. 187	c)
Aufg. 188	d)
Aufg. 189	2
Aufg. 190	4
Aufg. 191	a) 3, b) 4, c) 5, d) 7, e) 6, f) 8, g) 1, h) 2
Aufg. 192	4
Aufg. 193	1
Aufg. 194	a) 4, b) 3, c) 7
Aufg. 195	5
Aufg. 196	Die Kombination der unterschiedlichen Marketinginstrumente zur Erreichung der Unternehmensziele
Aufg. 197	Marketingmaßnahmen werden dann erfolgreich sein, wenn sie systematisch und sorgfältig geplant, durchgeführt und anschließend kontrolliert werden. Dieses Vorgehen wird durch konsequentes Aufstellen eines Marketingkonzepts unterstützt. Das Marketingkonzept enthält alle für eine Marketingmaßnahme wichtigen Informationen.
Aufg. 198	Ziel des Gesetzes gegen den unlauteren Wettbewerb (UWG) ist es, unfaires Verhalten von Unternehmen, die gegen die guten Sitten im Geschäftsleben verstoßen, zu unterbinden.

Aufg. 199	Die Generalklausel ist allgemein formuliert. Sie verbietet grundsätzlich alle unlauteren geschäftlichen Handlungen, soweit es sich um keine Bagatellfälle handelt.
Aufg. 200	Enthält Schwarze Liste (zusätzliche konkrete Auflistung stets unzulässiger Wettbewerbshandlungen) Verbot von: → unzumutbare Belästigungen → Mondpreiswerbung → Lockvogelwerbung → vergleichender Werbung → irreführender Werbung
Aufg. 201	a) Aftersales-Services b) Customer-Relationship-Management c) technische Serviceleistungen d) kaufmännische Serviceleistungen e) One-to-One-Marketing f) Kundenkarte g) Kundenklub h) Kundenzeitschriften i) Couponing
Aufg. 202	Warenbezogene Dienstleistungen von Großhandelsbetrieben sind z. B.: → Produktberatung und Produktinformation → Gebrauchsanleitungen → Aufstellen und Inbetriebnahme von technischen Geräten → Garantiegewährung, Reparaturservice → Inspektions- und Wartungsservice → Ersatzteildienst → Ersatzbereitstellung im Falle von Reparatur und Wartung → Warenmanipulation

	Nicht warenbezogene Dienstleistungen, die von Großhandelsbetrieben angeboten werden können, sind z. B.: → Übernahme von betrieblichen Funktionen der Kunden (Rechnungswesen, Werbung usw.) → Überlassung von EDV-Kapazitäten → Unternehmensberatung → Personalschulung → Finanzierungshilfen
Aufg. 203	4
Aufg. 204	Die Prüfung der Kunden unter Ergebnisaspekten und die anschließende Entscheidung, zu welchen potenziellen Kunden Geschäftsbeziehungen aufgenommen werden, wird als Kundenselektion bezeichnet. Der Kreis der möglichen Abnehmer wird damit eingeengt. Ziel der Kundenselektion ist die Bestimmung einer Zielgruppe unter Ausschluss unrentabler Kunden. Die Marketingaktivitäten werden dann gezielt auf die gewinnversprechenden Kunden gelenkt.
Aufg. 205	Kaufprozess – Kaufabwicklung – Konversionsrate – Käufer – Besucher – Usability – Benutzerfreundlichkeit – komfortable Bedienung
Aufg. 206	Die Konversionsrate beträgt 2 %.
Aufg. 207	a) 3, b) 4, c) 5, d) 6, e) 7, f) 8, g) 9, h) 10 i) 11 j) 2 k) 1
Aufg. 208	Beim nettopreisbezogenen Preisstellungssystem wird der Großhandelsverkaufspreis für die Abnehmer nachvollziehbar gebildet, indem zum Bezugspreis des Großhandelsbetriebes ein Kosten- und Gewinnzuschlag addiert wird. Von diesem Preis werden den Abnehmern keine Rabatte mehr gewährt. Beim Bruttopreissystem werdenden Abnehmern dagegen auf einen Bruttopreis Rabatte unterschiedlicher Höhe gewährt.

Prozessorientierte Organisation von Großhandelsgeschäften – LÖSUNGEN

Aufg. 209 Bei der räumlichen Preisdifferenzierung wird die gleiche Ware an verschiedenen Orten zu verschiedenen Preisen angeboten. Bei der personellen Preisdifferenzierung wird die gleiche Ware unterschiedlichen Kundengruppen zu unterschiedlichen Preisen angeboten. Bei der zeitlichen Preisdifferenzierung wird die gleiche Ware oder Dienstleistung zu verschiedenen Zeiten zu unterschiedlichen Preisen angeboten. Bei der mengenmäßigen Preisdifferenzierung wird bei Abnahme größerer Mengen einer Ware ein günstigerer Preis gewährt.

Aufg. 210

Bezugspreis (Einstandspreis)	300,00 €
+ Handlungskostenzuschlag	150,00 €
= Selbstkostenpreis	450,00 €
+ Gewinnzuschlag	90,00 €
= Barverkaufspreis	540,00 €
+ Kundenskonto	11,02 €
= Zielverkaufspreis	551,02 €
+ Kundenrabatt	183,67 €
= Listenverkaufspreis, netto	734,69 €

Aufg. 211	a)

Bezugspreis (Einstandspreis)	100,00 €
+ Handlungskostenzuschlag	30,00 €
= Selbstkostenpreis	130,00 €
+ Gewinnzuschlag	26,00 €
= Barverkaufspreis	156,00 €
+ Kundenskonto	3,18 €
= Zielverkaufspreis	159,18 €
+ Kundenrabatt	39,80 €
= Listenverkaufspreis, netto	198,98 €

	Der Kalkulationszuschlag beträgt somit 99,98 %.
	b) Der Listenverkaufspreis netto beträgt dann 39,79 €.
	0,9898 · 20 = 19,79
	20 + 19,79 = 39,79
Aufg. 212	Rechtsgeschäfte entstehen durch eine oder mehrere Willenserklärungen. Willenserklärungen sind gewollte und zwangsfreie Erklärungen einer Person.
Aufg. 213	Einseitige Rechtsgeschäfte entstehen durch die Willenserklärung nur einer Person: → Empfangsbedürftige Willenserklärungen sind z. B. Kündigungen, Mahnungen, Bürgschaften. Sie sind erst dann wirksam, wenn sie einer anderen Person zugehen. → Nicht empfangsbedürftige Willenserklärungen sind z. B. Testamente. Sie sind gültig, ohne dass sie einer anderen Person zugehen. Verträge sind mehrseitige Rechtsgeschäfte. Sie kommen grundsätzlich durch die Abgabe von zwei übereinstimmenden gültigen Willenserklärungen zustande: Die 1. Willenserklärung wird als Antrag, die 2. Willenserklärung als Annahme bezeichnet. Mit der Annahme des Antrags ist ein Vertrag abgeschlossen.

C. Prozessorientierte Organisation von Großhandelsgeschäften – LÖSUNGEN

Aufg. 214 — Vertragsfreiheit bedeutet, dass die Vertragspartner Abschluss wie auch Inhalt eines Vertrages frei gestalten können (Abschluss- und Gestaltungsfreiheit). Die Vertragsfreiheit findet ihre Grenzen u. a. in den allgemeinen Verboten der Gesetzwidrigkeit und der Sittenwidrigkeit sowie in zwingenden gesetzlichen Vorschriften des Verbraucherschutzes.

Aufg. 215

a) Nichtige Willenserklärungen sind von Anfang an ungültig.

b) → Geschäftsunfähigkeit
→ beschränkte Geschäftsfähigkeit
→ Zustand der Bewusstlosigkeit
→ Scherzgeschäft
→ Scheingeschäft
→ sittenwidrige Rechtsgeschäfte
→ Fehlen der vorgeschriebenen Form
→ Verstoß gegen gesetzliches Verbot

c) Anfechtbare Willenserklärungen können im Nachhinein durch Anfechtung ungültig werden. Bis zur Anfechtung sind sie gültig.

d) → Irrtum in der Erklärung
→ Irrtum in der Eigenschaft einer Person oder Sache
→ Irrtum in der Übermittlung, widerrechtliche Drohung
→ arglistige Täuschung

Aufg. 216

a) Die Willenserklärung ist anfechtbar. Es liegt ein Irrtum in der Erklärung vor.

b) Die Willenserklärung ist anfechtbar. Der Käufer wurde arglistig getäuscht.

c) Die Willenserklärung ist nichtig, da sie gegen den Willen des gesetzlichen Vertreters des beschränkt geschäftsfähigen Frank Schrader abgegeben wurde.

d) Das Rechtsgeschäft ist nichtig. Es wurde nicht in der vorgeschriebenen schriftlichen Form abgeschlossen.

	e) Der falsch kalkulierte Preis ist gültig. Ein Kalkulationsfehler gilt nicht als Irrtum, der zur Anfechtung einer Willenserklärung berechtigt. f) Das Rechtsgeschäft ist gültig, auch wenn der Kaufpreis nicht dem Wert des Hauses entspricht.
Aufg. 217	4
Aufg. 218	1
Aufg. 219	4
Aufg. 220	2
Aufg. 221	Der Erfüllungsort ist der Ort, an dem der Schuldner seine Leistung zu erbringen hat.
Aufg. 222	Gesetzliche Regelung: Wenn zwischen Käufer und Verkäufer keine vertragliche Regelung getroffen wurde, ist der Erfüllungsort der Wohn- oder Geschäftssitz des jeweiligen Schuldners (= gesetzlicher Erfüllungsort). Da durch den Abschluss eines Kaufvertrags sowohl der Verkäufer als auch der Käufer Leistungsverpflichtungen übernommen haben, gibt es auch zwei Erfüllungsorte: → Der Verkäufer schuldet dem Käufer die ordnungsgemäße Lieferung der Ware (= Warenschulden). Deshalb ist der Erfüllungsort für die Warenlieferung der Wohn- oder Geschäftssitz des Verkäufers. → Der Käufer schuldet dem Verkäufer die fristgerechte Zahlung des Kaufpreises (= Geldschulden). Deshalb ist der Erfüllungsort für die Zahlung der Wohn- oder Geschäftssitz des Käufers.
Aufg. 223	Im Rahmen der vertraglichen Regelung können Verkäufer und Käufer Abweichungen von der gesetzlichen Regelung vertraglich vereinbaren. Man spricht dann von einem vertraglichen Erfüllungsort.

Aufg. 224	Der Gerichtsstand ist der Ort, an dem die Vertragsparteien in Konfliktfällen klagen oder verklagt werden können. Der gesetzliche Erfüllungsort bestimmt den Gerichtsstand, wenn vertraglich nichts anderes vereinbart wurde. Für Warenschulden ist der Gerichtsstand somit der Geschäfts- oder Wohnsitz des Verkäufers. Für Geldschulden ist der Gerichtsstand der Geschäfts- oder Wohnsitz des Käufers. Zwischen Kaufleuten kann der Gerichtsstand abweichend von der gesetzlichen Regelung vertraglich vereinbart werden. Bei Verträgen mit Verbrauchern ist eine vertragliche Vereinbarung, die von der gesetzlichen Regelung abweicht, nicht erlaubt.
Aufg. 225	b)
Aufg. 226	Ein Lieferungsverzug oder eine Nicht-rechtzeitig-Lieferung liegt vor, wenn der Verkäufer nicht oder nicht rechtzeitig liefert.
Aufg. 227	→ die Fälligkeit der Lieferung → Mahnung<ul><li>erforderlich bei nicht bestimmbarem Liefertermin</li><li>nicht erforderlich bei:<ul><li>kalendermäßig bestimmbarem Liefertermin</li><li>Selbstinverzugsetzung durch den Lieferer</li><li>Fix- oder Zweckkauf</li></ul></li></ul>→ Ein Verschulden des Verkäufers nicht erforderlich bei:<ul><li>Gattungskauf</li><li>Fixkauf</li></ul>
Aufg. 228	→ bei Interesse an einer Lieferung das Bestehen auf der Lieferung und gegebenenfalls Schadensersatz wegen Verzögerung → bei keinem Interesse mehr an einer Lieferung der Rücktritt vom Vertrag und eventuell Schadensersatz wegen der Verzögerung

Aufg. 229	a) falsche Werbeaussagen b) Mangel in der Art c) arglistig verschwiegene Mängel d) offene Mängel e) Mangel in der Güte f) Mangel in der Beschaffenheit g) Sachmangel h) Rechtsmangel i) Montagefehler j) Mangel in der Menge k) Versteckte Mängel
Aufg. 230	4
Aufg. 231	4
Aufg. 232	4
Aufg. 233	1
Aufg. 234	1, 5
Aufg. 235	2, 3, 4
Aufg. 236	a) Schriftstück, das Informationen über die mit der Sendung ausgelieferten Waren enthält b) Schriftstück, das der effizienten Abwicklung eine Rücksendung im Lager des Verkäufers dient c) Prozess des Zusammenstellens der Waren im Lager des Verkäufers d) Überholung zurückgesendeter Waren für eine Wiederverwendung e) freiwillige Rücknahme von Waren ohne Mängel f) freiwilliges Versprechen eines Unternehmens, dass in einer bestimmten Zeitdauer ab Übergabe der Ware keine Mängel auftreten und der Unternehmer für die Mängelfreiheit einsteht g) den Kunden im Falle mangelhafter Lieferung zustehende Rechte aufgrund gesetzlicher Vorschriften

	h) Diese Kennziffer setzt die Anzahl der von Kunden zurückgeschickten Artikel in ein Verhältnis mit der Anzahl der versendeten Artikel.
	i) Diese Kennziffer gibt Auskunft über die Attraktivität des Angebotes des Webshops: Je höher diese ist, desto niedriger ist die Kundenzufriedenheit.

Aufg. 237	→ sich ruhig und freundlich verhalten
	→ Reklamation sofort bearbeiten
	→ Reklamation ernst nehmen und dies dem Kunden (z. B. durch Zuhören, Ausredenlassen) zeigen
	→ Schritte einer erfolgreichen Reklamationsbehandlung beachten:
	  1. Durch aktives Zuhören den Kunden ermöglichen, „Dampf" abzulassen
	  2. Klärung des Sachverhalts: Recherchieren (Wie ist es zur Unzufriedenheit des Kunden gekommen?)
	  3. Wenn es die eigene Schuld ist: Entschuldigen!
	  4. Wenn Fremdverschulden vorliegt: Hilfe anbieten!
	  5. Für Abhilfe sorgen!
	  6. Alles tun, um die Beziehung aufrechtzuerhalten

Aufg. 238	Ein Annahmeverzug liegt vor, wenn ein Käufer die bestellte Ware bei der Lieferung durch den Verkäufer nicht entgegennimmt.
Aufg. 239	→ die Fälligkeit der Lieferung → das ordnungsgemäße Anbieten der Ware → Der Annahmeverzug tritt ein direkt bei Nichtannahme durch den Käufer: ein Verschulden und eine Mahnung sind nicht erforderlich.
Aufg. 240	→ Rücktritt vom Kaufvertrag und Verkauf der Ware an andere Kunden oder → Bestehen auf Annahme (Er kann dann die Ware auf Kosten und Gefahr des Käufers einlagern und entweder im Klageweg auf Abnahme der Ware bestehen bzw. diese im Selbsthilfeverkauf verkaufen.)

C. Prozessorientierte Organisation von Großhandelsgeschäften – LÖSUNGEN

Aufg. 241	Allgemeine Geschäftsbedingungen sind vorformulierte Vertragsbedingungen einer Vertragspartei, die für eine Vielzahl von Verträgen gelten. Sie werden Bestandteil eines Vertrages, wenn bei Abschluss des Vertrages ausdrücklich auf sie hingewiesen wird.
Aufg. 242	Allgemeine Zwecke von AGB: → vorformulierte Vertragsbedingungen: grundsätzliche Ausgestaltung von Verträgen → Rationalisierung (Zeitersparnis)
Aufg. 243	Bestimmungen des AGB-Gesetzes: → Schutz vor unseriösen AGB → Individuelle Absprachen haben Vorrang. → Überraschende Klauseln sind unwirksam. → Bestimmungen, die gegen den Grundsatz von Treu und Glauben verstoßen, sind unwirksam. → Bei unwirksamen Klauseln gelten die gesetzlichen Bestimmungen.
Aufg. 244	a) Dies ist ein Kauf mit Rückgaberecht: der Käufer prüft die Ware. Bei Nichtgefallen kann er sie innerhalb einer vereinbarten Frist zurückgeben. b) Dies ist ein Kauf nach einem Muster: Der Verkäufer muss sich bei einer späteren Lieferung ganz genau an das Probeexemplar halten. c) Es wird zunächst nur eine geringe Menge gekauft, um die Ware zu testen. Bei der Bestellung wird die Nachbestellung größerer Mengen in Aussicht gestellt. d) Im Kaufvertrag sind die Waren nur nach der Art oder Klasse nach bestimmt, also nach allgemeinen Merkmalen. e) Hier wird vom Käufer eine persönlich bestimmte Ware, die nicht durch eine andere Ware ersetzt werden kann, gekauft. f) Es wird vereinbart, dass die Ware bis zu einem bestimmten Termin geliefert werden soll.

	g) Es wird vereinbart, dass die Ware an einem genau festgelegten Zeitpunkt geliefert werden soll.
h) Erst wenn der Käufer sie abruft, liefert der Verkäufer die bestellte Ware.
i) Der Käufer muss vor der Warenlieferung eine Teilsumme bezahlen.
j) Der Käufer legt zunächst lediglich die Art und die Gesamtmenge der Ware fest. Erst später wird die Ware genauer bestimmt.
k) Verkäufer und Käufer vereinbaren, dass die Zahlung des Kaufpreises erst einige Zeit nach der Lieferung der Ware erfolgen soll.
Aufg. 245	a) 2, b) 2, c) 1, d) 1, e) 3
Aufg. 246	3
Aufg. 247	a) 3, b) 4, c) 5, d) 6, e) 7, f) 1, g) 2
Aufg. 248	a) Bei dieser Zahlungsbedingung trägt der Exporteur sowohl das Risiko als auch die Finanzierungslast.
b) Bei dieser Zahlungsbedingung im Außenhandel müssen die Exportdokumente gegen Übergabe eines Zahlungspapiers (in der Regel ein Wechsel) ausgehändigt werden.
c) Bei dieser Zahlungsbedingung im Außenhandel gelangt man nur in den Besitz der für den Erhalt der Ware notwendigen Dokumente, wenn man schon gezahlt hat.
d) Bei dieser Zahlungsbedingung liegt ein Zahlungsversprechen der Bank des Importeurs vor, in dem diese sich dem Exporteur der Ware gegenüber verpflichtet, bei Vorlage der Dokumente Zahlungen zu leisten.
e) Bei dieser Zahlungsbedingung im Außenhandel trägt der Importeur das Risiko.
Aufg. 249	a) Das exportierende Unternehmen verfehlt den günstigsten Exportmarkt bzw. dem günstigsten Angebotszeitpunkt.

	b) Risiko, dass sich aus den größeren räumlichen und zeitlichen Entfernungen zwischen Verkäufer und Käufer ergibt.
	c) Der Auslandskunde versucht durch nicht berechtigte oder schwer nachprüfbare Mängelrügen ein Preisnachlass durchzusetzen. Es besteht auch die Möglichkeit, dass er die Entgegennahme der Ware verweigert.
	d) Im Einfuhrland wird durch eine staatliche Verfügung ein Transferverbot ausgesprochen.
	e) In der Zeit vom Vertragsabschluss bis zur Vertragserfüllung kommt es zu Preisveränderungen auf den Auslandsmärkten.
	f) Änderungen beim Wechselkurs können zu Verlusten führen.
	g) Der Käufer kommt seinen Zahlungsverpflichtungen nicht nach.
	h) Ein ausländischer Staat verbietet den Umtausch seiner Währung in eine andere Währung.
	i) Einem Einfuhrland (Schuldnerland) wird staatlich veranlasst ein Zahlungsaufschub gewährt.
	j) Es besteht die Gefahr von Verlusten durch Streiks, politische Unruhen, Boykottmaßnahmen oder Kriege.
	k) Einem Importeur wird durch staatliche Maßnahmen untersagt, Zahlungen gegenüber bestimmten Ländern vorzunehmen.
Aufg. 250	a), d)
Aufg. 251	d)
Aufg. 252	d)
Aufg. 253	d)
Aufg. 254	5
Aufg. 255	4

Aufg. 256	2
Aufg. 257	1
Aufg. 258	5

D. Wirtschafts- und Sozialkunde – LÖSUNGEN

Aufg. 259	a) 1, b) 5, c) 2, d) 6, e) 3, f) 7, g) 1
Aufg. 260	Bedürfnisse sind Empfindungen eines Mangels mit dem Bestreben, diesen zu beseitigen. Die Menschen streben danach, ihre Bedürfnisse zu befriedigen. Werden Bedürfnisse mit Kaufkraft versehen, spricht man von Bedarf. Tritt dieser auf einem Markt auf, liegt eine Nachfrage vor.
Aufg. 261	Güter sind Mittel zur Bedürfnisbefriedigung.
Aufg. 262	Wirtschaftliche Güter zeichnen sich dadurch aus, dass sie in einer Gesellschaft knapp sind. Die wirtschaftlichen Güter können unterteilt werden in → Sachgüter (Autos, Maschinen, Textilien) → sowie Dienstleistungen (Leistungen eines Arztes, Transport von Personen und Menschen) Freie Güter sind kein Gegenstand wirtschaftlicher Tätigkeiten und im Überfluss vorhanden (Luft, Wasser).
Aufg. 263	Abhängig von ihrer Verwendung können unterschieden werden: → Gebrauchsgüter, die über einen längeren Zeitraum angewendet oder genutzt werden (Autos, Maschinen). → Verbrauchsgüter sind dagegen Güter, die bei ihrer Verwendung untergehen bzw. nicht mehr genutzt werden können (Nahrungsmittel, Getränke, Rohstoffe).
Aufg. 264	4
Aufg. 265	Maximalprinzip
Aufg. 266	Minimalprinzip
Aufg. 267	Maximalprinzip

Wirtschafts- und Sozialkunde – LÖSUNGEN

Aufg. 268	Der Ort, an dem Angebot und Nachfrage zusammentreffen, wird Markt genannt.
Aufg. 269	In einer Volkswirtschaft gibt es unterschiedliche Marktformen: a) Es gibt Polypole, wo sich viele Anbieter und viele Nachfrager an einem gleichen Ort treffen. b) Treten wenige Wirtschaftsteilnehmer auf einem Markt auf, liegt ein Oligopol vor. c) Von einem Monopol spricht man, wenn ein Wirtschaftsteilnehmer entweder der Einzelnachfrager oder der einzelne Anbieter ist.
Aufg. 270	Unter der Konjunktur werden Wirtschaftsschwankungen, die regelmäßig wiederkehren, verstanden.
Aufg. 271	Die Konjunktur kann in vier Phasen eingeteilt werden: → die Expansion (Aufschwung und Erholung). → der Boom (Hochkonjunktur) → die Rezession (Konjunkturabschwächung und Abschwung) → und die Depression (Tiefstand oder Krise)
Aufg. 272	4
Aufg. 273	a) 5, b) 4, c) 1
Aufg. 274	5
Aufg. 275	3
Aufg. 276	a) 9, b) 8, c) 3, d) 5, e) 7, f) 1, g) 7, h) 11, i) 12, j) 2, k) 4, l) 6
Aufg. 277	1
Aufg. 278	4
Aufg. 279	4
Aufg. 280	a) Gesellschaften b) Personengesellschaften c) Kapitalgesellschaften d) Genossenschaft

	e) Einzelunternehmen
	f) OHG
	g) KG
	h) GmbH
	i) AG
	j) GmbH & Co. KG
Aufg. 281	1
Aufg. 282	4
Aufg. 283	a) Stelle
	b) Instanz
	c) Aufbauorganisation
	d) Stellenbeschreibung
	e) Abteilung
	f) Einliniensystem
	g) Mehrliniensystem
	h) Stabliniensystem
	i) Matrixorganisation
	j) Projektorganisation
	k) Spartenorganisation
Aufg. 284	Großhandelsunternehmen müssen Pflichtmitglieder bei der Industrie- und Handelskammer (IHK) sein. Die IHKs nehmen die Interessen der Mitgliedsunternehmen gegenüber der Öffentlichkeit und politischen Gremien war. Sie sind zuständig für die Berufsausbildung und nehmen auch entsprechende Prüfungen ab. Sie bieten die unterschiedlichsten Dienstleistungsangebote an (Fortbildungen, Beratungen usw.).

Aufg. 285	Viele Großhandelsunternehmen sind Mitglied von Arbeitgeberverbänden, von denen sie beratend unterstützt werden können. Sie führen für die Arbeitgeber die Tarifverhandlungen durch. Mit Gewerkschaften wird oft Kontakt aufgenommen zur Zusammenarbeit bei der Bewältigung von Strukturanpassungen oder Wirtschaftskrisen.
Aufg. 286	a) falsch b) richtig c) falsch d) richtig e) richtig f) richtig g) falsch h) falsch i) richtig
Aufg. 287	In der Ausbildungsordnung, z. B. für den Ausbildungsberuf Kaufleute für Großhandels- und Außenhandelsmanagement, ist festgelegt: → die Bezeichnung des anerkannten Ausbildungsberufs → die Ausbildungsdauer → das Ausbildungsberufsbild → der Ausbildungsrahmenplan, der verbindlich festlegt, was im Ausbildungsbetrieb zu vermitteln ist → die Prüfungsanforderungen
Aufg. 288	a) Gesetze von den Parlamenten beschlossen: Bundesgesetze werden vom Bundestag unter Mitwirkung des Bundesrats, Landesgesetze der einzelnen Bundesländer von deren Landtagen beschlossen. b) Rechtsverordnungen können von der Bundesregierung, einem Bundesminister oder einer Landesregierung erlassen werden, wenn diese durch ein Gesetz dazu ermächtigt sind.

c) Tarifverträge sind Vereinbarungen, die zwischen Gewerkschaften und Arbeitgeberverbänden oder einzelnen Arbeitgebern abgeschlossen werden.

d) Betriebsvereinbarungen zwischen dem Arbeitgeber und dem Betriebsrat regeln die Ordnung und die Arbeitsverhältnisse des einzelnen Betriebs.

e) Der Arbeitnehmer muss die im Arbeitsvertrag vereinbarte Arbeitsleistung erbringen.

f) Der Arbeitnehmer darf Geschäfts- und Betriebsgeheimnisse nicht Dritten mitteilen.

g) Der Arbeitnehmer darf sich nicht bestechen lassen.

h) Solange das Arbeitsverhältnis besteht, darf ein kaufmännischer Angestellter ohne Einwilligung des Arbeitgebers nicht selbstständig ein Handelsgewerbe betreiben oder in dem Handelszweig des Arbeitgebers keine Geschäfte für eigene oder fremde Rechnung betreiben.

i) Nach Beendigung des Arbeitsverhältnisses darf ein kaufmännischer Angestellter seinem bisherigen Arbeitgeber grundsätzlich Konkurrenz machen. Soll ein Wettbewerbsverbot auch nach Beendigung des Arbeitsverhältnisses bestehen, muss dieses ausdrücklich vertraglich geregelt werden. Dieses Wettbewerbsverbot darf nicht länger als zwei Jahre nach Beendigung des Arbeitsverhältnisses bestehen.

j) Der Arbeitgeber muss für die erbrachte Arbeitsleistung des Arbeitnehmers eine Vergütung bezahlen. Der Arbeitgeber muss das Gehalt an seine Angestellten spätestens am letzten Werktag des Monats bezahlen. Das Gehalt muss auch bei Arbeitsunfähigkeit wegen Krankheit bis zu sechs Wochen weiterbezahlt werden.

k) Der Arbeitgeber ist verpflichtet, dem Arbeitnehmer nicht nur ein Entgelt zu zahlen, sondern ihn auch tatsächlich zu beschäftigen.

	l) Der Arbeitgeber muss dem Arbeitnehmer in jedem Kalenderjahr bezahlten Erholungsurlaub gewähren. Dabei ist es unzulässig, den Urlaub regelmäßig durch Geldzahlungen abzugelten. m) Der Arbeitgeber muss alle Arbeitsbedingungen so gestalten, dass der Arbeitnehmer gegen Gefahren für Leben und Gesundheit so weit wie möglich geschützt ist. n) Der Arbeitnehmer kann von seinem Arbeitgeber bei Beendigung des Arbeitsverhältnisses ein schriftliches Zeugnis verlangen.
Aufg. 289	Tritt man nach einer Ausbildung in ein Arbeitsverhältnis ein, gilt der Arbeitsvertrag. Dies ist ein Dienstvertrag, durch den sich ein Beschäftigter gegenüber seinem Arbeitgeber zu einer entgeltlichen Arbeitsleistung verpflichtet. Geregelt werden unter anderem Beginn und eventuell Dauer des Arbeitsverhältnisses, die Tätigkeit, die Höhe des Lohns bzw. Gehalts, der Arbeitsort und die Arbeitszeit.
Aufg. 290	→ Jugendliche dürfen keine gesundheitsgefährdenden Arbeiten, keine Akkordarbeit, keine Arbeiten, die ihre Leistungsfähigkeit überschreiten, ausführen sowie keine Arbeiten verrichten, bei denen sie sittlichen Gefahren ausgesetzt sind. → Jugendliche dürfen täglich höchstens 8 Stunden beschäftigt werden. Die tägliche Arbeitszeit darf auf 8,5 Stunden erhöht werden, wenn dabei die wöchentliche Arbeitszeit von 40 Stunden nicht überschritten wird.
Aufg. 291	Der **Manteltarifvertrag** regelt allgemeine Arbeitsbedingungen, z. B. Arbeitszeit, Urlaub, Kündigungsfristen, Zulagen. Der **Lohn- und Gehaltstarifvertrag** regelt die Lohn- und Gehaltshöhe für die Arbeitnehmer in den verschiedenen Lohn- und Gehaltsgruppen. Er regelt auch die Höhe der Ausbildungsvergütung.

Aufg. 292	Unter Tarifautonomie versteht man das Recht der Tarifvertragsparteien (Gewerkschaften und Arbeitgeberverbände), Tarifverträge ohne Einmischung des Staates auszuhandeln. Friedenspflicht bedeutet, dass während der Gültigkeitsdauer eines Tarifvertrags von den vertragschließenden Gewerkschaften und Arbeitgeberverbänden keine Arbeitskampfmaßnahmen (Streiks und Aussperrungen) durchgeführt werden dürfen.
Aufg. 293	Betriebsvereinbarungen regeln die Ordnung und die Arbeitsverhältnisse des einzelnen Betriebs, z. B. Arbeitszeiten, Pausenzeiten, Urlaubsregelungen. Sie gelten für alle Mitarbeiter des Betriebs. Betriebsvereinbarungen werden zwischen Arbeitgeber und Betriebsrat abgeschlossen.
Aufg. 294	a) Zuständig für die Betreuung der Mitarbeiter. In diesem Bereich werden alle Entscheidungen und Maßnahmen getroffen, die mit Anwerbung und Auswahl, Einsatz und Führung, Vergütung und Motivation sowie der Entlassung von Mitarbeitern zusammenhängen.
	b) Hiermit werden die zukünftigen Erfordernisse im Personalbereich des Unternehmens ermittelt und die daraus resultierenden Maßnahmen für die Zukunft festgelegt.
	c) Das Ziel ist, im Rahmen der Personalplanung die bestmögliche Eingliederung der verfügbaren Mitarbeiter in den betrieblichen Leistungsprozess zu erreichen.
	d) Wird benutzt, wenn eine Stelle innerbetrieblich besetzt werden soll. Die Vorteile liegen einerseits in der kürzeren Einarbeitungszeit und andererseits darin, dass die Leistung der eigenen Mitarbeiter bekannt ist.
	e) Wird verwendet, um betriebsfremde Bewerber zu gewinnen. Sie sind auf den Teil des Arbeitsmarkts gerichtet, der außerhalb des Unternehmens liegt.
	f) Hier werden die routinemäßigen Daueraufgaben, die sich auf die Arbeitnehmer beziehen, zusammengefasst. Eine Aufgabe ist z. B. Verträge zu schließen und umzusetzen, die Mitarbeiter betreffen.

	g) Hierbei wird die Anwesenheit des Mitarbeiters im Betrieb bezahlt. Es besteht keine direkte Beziehung zur Arbeitsleistung. h) Orientieren sich an den tariflichen Mindestlöhnen, die auch bei einer geringen Leistung des Arbeitnehmers gezahlt werden müssen. Zu diesem kommt ein häufig auch in Tarifverträgen geregelter Zuschlag hinzu. Damit wird die höhere Arbeitsintensität der Arbeit im Vergleich zur Zeitarbeit abgegolten. i) Akkordrichtsatz / Normalleistung je Stunde
Aufg. 295	1
Aufg. 296	Bei der qualitativen Personalbedarfsplanung wird mithilfe von Arbeitsanalysen und Arbeitsbeschreibungen ermittelt, welche Anforderungen an mögliche Stelleninhaber gerichtet werden müssen. Es geht also um die Fähigkeiten, die zukünftige Stelleninhaber aufweisen sollten. Bei der quantitativen Personalbedarfsplanung wird der Arbeitsumfang ermittelt und die Anzahl der dafür benötigten Beschäftigten bestimmt. Ausgehend vom momentanen Personalbestand wird der voraussichtliche Personalbedarf prognostiziert (= vorausbestimmt). Auf dieser Grundlage können rechtzeitig Beschaffungsmaßnahmen eingeleitet werden.
Aufg. 297	a) Das Unternehmen muss Unbefugten den Zugang zu den EDV-Anlagen verwehren. b) Das Unternehmen muss sicherstellen, dass nur Befugte die EDV-Anlagen nutzen können. c) Das Unternehmen muss sicherstellen, dass die zur Arbeit mit den EDV-Anlagen berechtigten Beschäftigten ausschließlich auf die Daten zugreifen können, für die sie eine Zugangsberechtigung besitzen.

	d) Das Unternehmen muss sicherstellen, dass bei der Übermittlung von Daten sowie beim Transport entsprechender Datenträger diese nicht unbefugt gelesen, kopiert, verändert oder gelöscht werden können. Ein Unternehmen muss zudem gewährleisten, dass überprüft und festgestellt werden kann, an welche Stellen Daten übermittelt werden können.
	e) Das Unternehmen muss nachträglich überprüfen und feststellen können, welche Daten zu welcher Zeit von wem in die EDV-Anlagen eingegeben worden sind.
	f) Werden personenbezogene Daten im Auftrag verarbeitet, muss sichergestellt werden, dass diese nur entsprechend den Weisungen des Auftraggebers verarbeitet werden können.
	g) Das Unternehmen muss sicherstellen, dass personenbezogene Daten nicht zufällig zerstört werden können oder verloren gehen.
	h) Personenbezogene Daten, die im Unternehmen zu unterschiedlichen Zwecken erhoben wurden, müssen getrennt verarbeitet werden können.
Aufg. 298	a) Grundrecht der „informationellen Selbstbestimmung": Jeder Bürger darf über die Erhebung, Speicherung, Übermittlung und Verarbeitung seiner Daten selbst entscheiden, soweit dies gesetzlich nicht anders geregelt ist.
	b) Schutz personenbezogener Daten vor Missbrauch bei ihrer Verarbeitung
	c) alle Einzelangaben über persönliche und sachliche Verhältnisse natürlicher Personen benötigen die Einwilligung der Betroffenen,

	d) durch Erlaubnis des Bundesdatenschutzgesetzes, der Datenschutz-Grundverordnung oder einer anderen Rechtsvorschrift: → Auskunftsrecht → Berichtigungsrecht → Sperrungsrecht → Löschungsrecht e) → Wahrung des Datengeheimnisses → technische und organisatorische Maßnahmen zum Ausschluss von Missbrauch → Prüfung der Zulässigkeit der Verarbeitung von Daten → Benachrichtigung der Betroffenen bei erstmaliger Speicherung von Daten zu ihrer Person → Ernennung eines Beauftragten für Datenschutz
Aufg. 299	a) Notstromaggregate b) Hardware-Schreibschutz c) Parallelrechner d) mechanische Sicherungen e) Streamer f) räumliche Sicherungen g) periodisches Anfertigen von Sicherheitskopien h) Überwachungsprotokolle des Betriebsablaufs i) Schulungen j) Doppelbesetzungen k) Vier-Augen-Prinzip l) Plausibilitätskontrollen m) Passwortverfahren n) Berechtigungscodes o) Software-Schreibschutz und versteckte Dateien p) Verschlüsselung von Daten q) Prüfziffernverfahren

Aufg. 300	→ Einhaltung der Brandschutzvorschriften → Einsatz technischer Brandschutzvorrichtungen → Schlösser → Stahltüren → Überwachungsmaßnahmen → Zugangsbeschränkungen (niemand außer dem Lagerpersonal darf die Lagerräume betreten) → Einhaltung der Vorschriften des Arbeitsschutzes → Schutz des Lagerpersonals vor schädlichen Einflüssen → Einhaltung der Unfallverhütungsvorschriften der Berufsgenossenschaften → Beachtung der Sicherheitskennzeichnung im Lager → Beachtung des baulichen Brandschutzes → Beachtung des allgemeinen Brandschutzes
Aufg. 301	→ unbedingt Ruhe bewahren → Panik vermeiden → Betroffene Personen müssen sich selbst und andere in Sicherheit bringen. → Die Feuerwehr muss über Feuermeldeeinrichtungen oder über den Notruf 112 alarmiert werden. → Nur wenn keine Gefahr für Personen mehr besteht, sind erste Löschmaßnahmen zu ergreifen.
Aufg. 302	a) richtig b) falsch (die Kollegen könnten schon den Brand ebenfalls mit den weiteren Feuerlöschern bekämpfen) c) falsch d) richtig
Aufg. 303	a) richtig b) falsch c) richtig d) richtig

D. Wirtschafts- und Sozialkunde – LÖSUNGEN

Aufg. 304	Immer mehr Kunden legen Wert auf nachhaltige Artikel. Eine Großhandlung muss daher entsprechende Artikel ins Sortiment aufnehmen. Viele Kunden achten auch darauf, ob darüber hinaus das Unternehmen nachhaltig in allen betrieblichen Bereichen auftritt.
Aufg. 305	Übernahme der Verantwortung für zukünftige Generationen
Aufg. 306	→ Ökonomische Nachhaltigkeit: Unternehmen sollten so an den Märkten auftreten, dass sie auf Dauer funktionstüchtig sind. → Soziale Nachhaltigkeit: Soziale Verantwortung und soziales Miteinander stehen im Vordergrund der unternehmerischen Tätigkeit. → Ökologische Nachhaltigkeit: Das Unternehmen versucht den rücksichtsvollen Umgang mit Ressourcen der Natur.
Aufg. 307	a) Unter Ressourcenschonung wird der schonende und effizienten Einsatz bzw. Umgang mit natürlichen, endlichen Ressourcen verstanden. Ziel der Ressourcenschonung ist es, natürliche Rohstoffe für künftige Generationen verfügbar zu halten. b) Unter Abfallvermeidung wird die Verringerung → der Abfallmenge sowie → der schädlichen Auswirkungen des Abfalls auf die Umwelt, die menschliche Gesundheit und des Gehalts an schädlichen Stoffen in Materialien und Produkten verstanden. c) Zum Umweltschutz gehören alle Maßnahmen, die getroffen werden, um die Umwelt zu schützen und somit die Gesundheit der Menschen zu bewahren.

Sachwortverzeichnis

A

Abschreibungsprozentsatz 28
AGB (Allgemeine Geschäftsbedingungen) 89
aktives Bestandskonto 21
Aktiv-Passiv-Minderung 19
Aktivseite 17, 18
Anfechtung 82
Anlagevermögen 31
Annahmeverzug 88
Arbeitgeberverbänden 103
Arbeitsvertrag 104
Aufbauorganisation 102
Aufkaufgroßhandel 97
Aufwand 30
Ausbildungsordnung 104
Ausgleichnehmer 71
Auslieferungsfahrer 51
Außenhandel 91

B

Bahnverkehr 54
Barzahlung 32
Bedarf 96
Bedürfnissen 96
Beratungsgespräch 14
Beschaffungsplanung 9
Bestandskonten 20
Bestandsveränderung 24
Bestellmenge 10
Bestellpunktverfahren 10, 61
Betriebsvereinbarung 105
Bezugsquellenermittlung 11
Bilanz 17
Bilanzstichtag 30
Binnenschifffahrt 52, 53
Brandfall 109
Break-Even-Point 43
bruttopreisbezogene 81
Brutto-Rechnungsbetrag 26
Buchungssatz 27
Buchungssätze 20

C

C-Klausel 93
Controlling 45
Controlling-Berichtswesens 44

D

Darlehensschuldner 30
Darlehenszinsen 30
Datensicherung 107
Dauerauftrag 32
Deckungsbeitrag 43, 44
Diversifikation 70
Dokumentenakkreditiv 92
durchschnittlicher Lagerbestand 64
Durchschnittsbewertung 32

E

Eigenlagerung 66
einseitiger Handelskauf 86
einseitige Rechtsgeschäfte 82
Einstandspreisen 66
Eisenbahnfrachtbriefe 51
E-Klausel 93
Endbestand 65
Endzeitpunkt 49
Erfolgskonten 23
Erfüllungsort 84
Eröffnungsbilanz 26
Eröffnungsbilanzkonto (EBK) 26
ERP-Systeme 13
ERP- und Warenwirtschaftssysteme 13
Ertrag 30

F

Factoring 37
FEZ 49
Fifo-Prinzip 57
Finance-Leasings 37
Forderungen 29

Sachwortverzeichnis

freie Güter 96
Friedenspflicht 105

G

Gebrauchsgut 96
Generalklausel 77
gerichtliches Mahnverfahren 34
Gerichtsstand 84
Geschäftsfähigkeit 84
Geschäftsfälle 19
Gesetzes gegen den unlauteren Wettbewerb (UWG) 77
Gewerkschaften 103
Gewinnzuschlag 81
Grad der Güte (Bonität) 29
Güter 96

H

Handelsmakler 72
Handelsvertreter 72, 73
Handelsvertreters 73
Handlungskostenzuschlag 81
Handlungsreisenden 73

I

Industrie- und Handelskammer 103
Informationsquellen 68
Inventar 17
Inventur 17
Inventuren 65

J

Jahresanfangsbestand 65
Jahresinventur 65
Jugendarbeitsschutzgesetz 105
Just-in-time-Prinzip 55

K

Kapitalgesellschaft 100
Käufermarkt 67
Kaufvertragsart 89
Kernsortiment 9, 71
Kick-off-Sitzung 47
Kommissionär 72
Kommissionierung 66
Kommunikationspolitik 74
Komplementär 100
Konditionspolitik 71
Konjunktur 97
Konjunkturphasen 97
Kontenrahmen 23
Kredit 33
Kundenrabatt 81
Kundenreklamationen 88
Kundenselektion 78
Kundenskonto 81

L

Lagerart 59
Lagerbestand 61
Lagerhalter 66
Lagerhaltung 59, 61
Lagerkennzahlen 63
Lagerplatzzuordnung 67
Lagerumschlagsgeschwindigkeit 63
Lagerumschlagshäufigkeit 66
Lastschriftverfahren 32
Lieferungsverzug 85
Limitrechnung 10
lineraren Abschreibungsmethode 28
Liquiditätskennzahlen 45
logistische Kette 55
Lohn- und Gehaltstarifvertrag 105
Luftfrachtbrief 52

M

Mahnbescheid 34
Mahnverfahren 34
Mangelart 85
mangelhafte Lieferung 87
Mann zur Ware 66
Manteltarifvertrag 105
Marketing 67
Marketingkonzept 77
Marketing-Mix 76
Markt 97
Marktbeobachtung 68
Marktforschung 68
Marktsegmentierung 68, 78
Mehrliniensystem 102
mehrseitige Rechtsgeschäfte 82

Meilenstein 48
Meldebestand 10, 61, 62
mengenmäßige Preisdifferenzierung 72
Mengenplanung 9

N
Nachfrage 96
Nachhaltigkeit 110
nachrangige Rechten 87
nettopreisbezogene 81
Netzplan 48, 49
Nichtigkeit 82
Nicht-rechtzeitig-Lieferung 85
nicht warenbezogene 78
Nullphase 48

O
offene Handelsgesellschaft 100
offener Mangel 86
ökonomische Prinzip 96
ökonomischer Werbeerfolg 76

P
paralleles Kommissionieren 66
passives Bestandskonto 21
Passivierung 27
Passivseite 17, 18
Positionen 46

Preisdifferenzierung 81
Preisstellungssysteme 81
Primärquellen 11
Primär- und Sekundärforschung 68
Produktlebenszyklus 69
Projektarbeit 47
Projektaufträge 47
Projekts 46
Provision 73
Public Relations 74

Q
qualitative Personalplanung 105
Quittung 32

R
Rabatt 72
Rackjobber 98
Randsortiment 9
Rechnungswesens 24
Rechtsfähigkeit 83
Rechtsgeschäfte 82
Rechtsgültigkeit 82
Risiken 91, 92
Risikominderung 92
Rügefrist 86

S
Sachversicherungen 56
Schlechtleistung 85
Schlussbilanz 26
Schlussbilanzkonto (SBK) 26
Schuldner 34

Sekundärerhebung 68
serielles Kommissionieren 66
Sicherheit im Lager 109
Sortiment 9
Sortimentsbreite 9
Sortimentsgroßhandel 98
Sortimentstiefe 9
Spediteure 54
Stammdatenmanagement 14
Stammkapital 100
Stamm- und Bewegungsdaten 14
strategisches Controlling 45
supply chain 55
System der chaotischen Lagerhaltung 57

T
Tarifautonomie 105
Tourenplanung 51
Transferverbot 93
Transportart 50
Transportfälle 50
Transportkosten 13, 46
Transportpapiere 52
Transportrisiko 93, 94

U
Umsatzsteuersatz 27
Umsatzsteuerzahllast 26
Umschlagshäufigkeit 63

Sachwortverzeichnis

uneinbringliche Forderung 29
UWG 77

V

Verbindlichkeiten 31, 32
Verbrauchsfolgeverfahren FIFO 67
Verbrauchsfolgeverfahren LIFO 67
Verbrauchsgut 96
Verbrauchsgüterverkauf 87
Vergütung 73
Verkaufsgespräche 14
Verkaufspreis 81
Verpackung 69
Verpackungsmaterial 46
Versicherung 55
Versicherungsart 55
vertraglicher Erfüllungsort 84
Vertriebskosten 46
Vollkostenrechnung 43

W

Wachstumsphase 69
Warenannahme 56
Warenarten 59
warenbezogene 78
Wareneinsatz 64, 66
Warenkontrolle 56
Warenpflege 67
Warensortiment 9
Warenwirtschaft 13
Warenwirtschaftssystem 13
Ware zum Mann 66
Weisungssystem 101
Werbespot 75
Werbeträger 75
wirtschaftliche Güter 96

Z

Zahllast 27
Zahlungsbedingungen 91
Zahlungsverzug 33
zeitlichen Abgrenzung 30
zweiseitiger Handelskauf 86